村山 斉

何でできているのか

素粒子物理学で解く宇宙の謎

GS
幻冬舎新書
187

宇宙は何でできているのか／目次

図版作成　ホリウチミホ

序章

ものすごく小さくて大きな世界

宇宙という書物は数学の言葉で書かれている

私が機構長を務める東京大学数物連携宇宙研究機構（ＩＰＭＵ）は、２００７年10月に生まれたばかりの新しい研究所です。ずいぶん厳《いか》めしい名称がついていますが、外国では英語の頭文字を取って「イプムー」と呼ぶ人もいます。そうすると少しはなじみやすいかもしれません。この「数物」とは、数学と物理のこと。その２つが手に手を取って連携するというのですから、中学や高校時代に理数系の勉強が苦手だった人などは、「あまり近寄りたくない」と感じるのではないでしょうか。

でも、怖がることはありません。

ここで私たちが取り組んでいるテーマは、誰でも一度は「知りたい」と思ったことがあるはずです。たとえば子どものころ、広い夜空を見上げながら、次のような疑問を抱いたことはありませんか？

宇宙は、どうやって始まったのだろう？
遠くに見える星は、何でできているのだろう？
どうして、自分たちはこの宇宙にいるのだろう？

宇宙は、これからどうなっていくのだろう？

私たちは、そんな素朴な疑問に答えたいと思って研究活動をしています。

自然科学が未発達だった時代、こうした疑問は哲学者たちのテーマでした。人類はそれを何千年にもわたって考え続けていますが、まだたくさんの謎が残っています。

しかし、時代は大きく変わりました。人工衛星、巨大な望遠鏡、地下の実験施設、粒子加速器など、この十数年間にテクノロジーは飛躍的に進歩し、「科学の力」によって、その謎を解き明かすのにあと一歩というところまで来ています。

この10年間、宇宙研究の分野では、さまざまな実験を通じて、驚くべきデータが次々と出てきました。そのデータを踏まえて理論も発展し、斬新でユニークなアイデアが数多く生まれています。

その結果、それまで私たちが考えていた宇宙像は革命的に変わってしまいました。いま起きている宇宙論の変化は、「天動説」から「地動説」への転換に匹敵するほどのインパクトがあると言っても、決して過言ではありません。

ちなみに、地動説を唱えたガリレオ・ガリレイが初めて空に天体望遠鏡を向けたのは、１６０９年のことでした。昨年（２００９年）が「世界天文年」とされたのは、その４００周年を記念してのことです。

ガリレオは手製の望遠鏡で、木星の周囲にも地球のまわりを回る月と同じような衛星が4つあることを発見しました。木星のまわりを衛星が回っているなら、地球が太陽のまわりを回っていてもおかしくない——そう考えたことは、のちに彼が天動説を捨てて地動説を唱えた根拠の1つとなりました。その意味でも、400年前にガリレオが空に望遠鏡を向けたのは、人類にとってまさに歴史的な瞬間だったと言えるのです。

ところで、天文学者であり物理学者でもあったガリレオは、こんな言葉を残しました。

「宇宙という書物は数学の言葉で書かれている」

だから、数学を使わないと自然界の仕組みは理解できない——ということです。

読者のみなさんの中には、私たち物理学者の宇宙研究が数学と「連携」していると知って、不思議に思った人もいるでしょう。でもガリレオの言うとおり、数学者の力を借りずに宇宙の謎を解明することはできません。だから私たちは、数学と物理学の境界線を取り払い、一緒に研究する場をつくったのです（とはいえこの講義で高等数学の話をするつもりはないので、どうぞご安心ください）。


10の27乗、10のマイナス35乗の世界

さらにもうひとつ、みなさんの頭には、先ほどからもっと大きな疑問が浮かんでいるのではないでしょうか。

この本のサブタイトルは『素粒子物理学で解く宇宙の謎』です。

どうして小さな小さな素粒子と大きな大きな宇宙が関係あるんだ？

たしかに、ふつうの感覚で考えると、「宇宙」と「素粒子」には、とくに関係があるような気がしません。何よりもまず、大きさが違いすぎますよね。この世でいちばん大きいのが宇宙で、いちばん小さいのが素粒子です。「宇宙研究機構」で働く研究者がなぜ、素粒子の話をするのだろうか――と、不思議に思うのも無理はありません。

そこでまず、身の回りにある物と比較しながら、宇宙がどれほど大きいのかを考えてみましょう。とても小さい素粒子ととても大きな宇宙を一緒に考えるので、細かいことを気にしてはいけません。「何桁の数字を使うか」という大雑把《おおざっぱ》な考えで迫ってみましょう。

たとえば、リンゴは直径約10センチメートル（０・１メートル）。人間の身長は、それよりも桁が１つ上がって、１～２メートル程度です。町中に建っているビルやマンションはもう１桁上がって、数十メートルの高さでしょうか。東京タワーは３３３メートル、建設中の東京スカイツリーは６３４メートルになる予定だそうです。物理学の世界でよく使う表現に直すと、それぞれおよそ「3×10^2メートル」「6×10^2メートル」。日本でいちばん高い富士山（３７７６

メートル）になると、「10^{3}」という桁数になります。

では、富士山が載っている地球の直径はどの程度か。これは約1万2000キロメートルですから、メートルに直すと桁数は「10^{7}」。富士山の1万倍のオーダーです。

その地球が太陽のまわりを公転する軌道の大きさは、富士山の1万倍のさらに1万倍（10^{11}メートル）のオーダー。これだけでも、十分に気の遠くなるサイズです。

でも、それは宇宙全体から見ればほんの小さな点のようなものにすぎません。

太陽系は「天の川銀河」の片隅にありますが、この銀河は地球の軌道の約10億倍の大きさ（10^{20}メートルのオーダー）。さらに天の川銀河はほかの銀河系と一緒に「銀河団」を形成しており、その銀河団は天の川銀河の1000倍程度の規模（10^{23}メートルのオーダー）です。

もちろん宇宙には、そういう銀河団がほかにもたくさんあります。それらをすべてひっくるめたのが、宇宙です。そして、私たちがいま実際に観測できる宇宙のサイズは、1つの銀河団のさらに1万倍（10^{27}メートル）。こうなると、「兆（10^{12}）」や「京《けい》（10^{16}）」といった単位では表せないので「10^{x}」という表現が必要になってきます。これがまさに、いわゆる「天文学的な数字」のスケールなのです。

さて、一方の素粒子のほうはどんな大きさなのか。

[図1]ものの大きさ

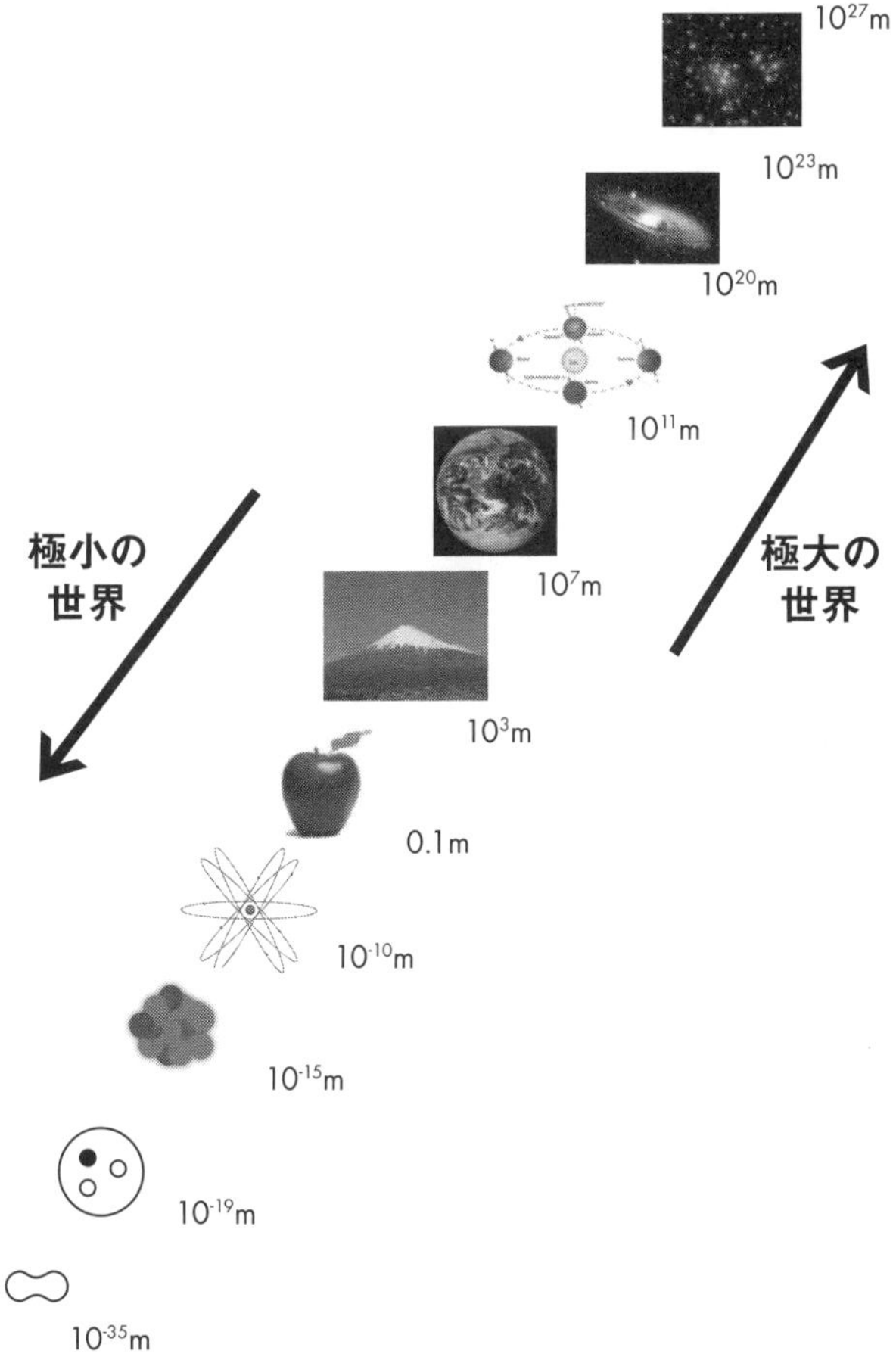
10^27m
10^23m
10^20m
10^11m
10^7m
10^3m
0.1m
10^-10m
10^-15m
10^-19m
10^-35m
極小の世界
極大の世界

そもそも「素粒子」とは、読んで字のごとく、物質の「素」となる粒子のことです。リンゴや人間や富士山や天体といった物質をどんどん細かく分けていき、それがもともと「何でできているのか」を考えるのが、素粒子物理学だと思ってもらえばいいでしょう（素粒子同士がなぜバラバラにならずにくっついて「物質」を形成するのかも大テーマの1つですが、それはまたのちほど詳しくお話しします）。

あらゆる物質が「原子」の集まりであることは、みなさんもご存じでしょう。たとえば「水」という物質は、水素原子と酸素原子が結合して H_2O という「分子」を形づくり、その分子が集まってできています。

これまでに存在が確認されている原子は118種類（この原子の種類のことを「元素」と呼び、それぞれ質量が異なります）。物質世界の多様性を考えると、元素の数は驚くほど少ないと言えるでしょう。私たちの身の回りに存在するすべての物質は、ある程度までバラバラにすると、必ずそのどれかになるわけです。

もちろん、物質を原子レベルまでバラバラにするのは容易ではありません。たとえば直径10センチメートルのリンゴをバラバラにすると、ざっと10^{26}個ぐらいの原子になります。どんなに鋭いナイフで刻んでも（その刃は必ず原子より大きいので）無理ですね。

ちなみに、リンゴ1個と原子1個の大きさの比は、天の川銀河と地球の軌道の大きさの比と同じぐらい。天の川銀河がリンゴだとすると、地球の軌道は原子1個程度の大きさしかないということです。

さて、原子1個の直径は、10^{-10}メートル。かつては、これが「この世でいちばん小さいもの＝素粒子」だと考えられていました。

しかし、やがて原子にも「内部構造」がある――つまり「もっとバラバラにできる」ことが判明します。原子の中心には「原子核」と呼ばれるものがあり、そのまわりを「電子」がくるくると回っている。先ほどの「原子の直径（10^{-10}メートル）」とは、電子が回る軌道の直径だったわけです。

そして、電子の軌道から原子核までの距離は、決して近くありません。地球と人工衛星ぐらいの距離感をイメージする人が多いと思いますが、原子核の直径は電子の軌道よりはるかに小さく、10^{-15}メートル。電子の軌道の10万分の1です。もちろんミクロの世界の話ですから、私たちの目から見ればどちらも同じようなものですが、実際は5桁も違う。富士山の標高と地球の直径でさえ、4桁しか違いません。原子核から見ると、電子ははるか彼方を飛び回っているのです。

この原子核の発見によって、「素粒子」のサイズは一気に小さくなりました。ところが、話はそこで終わりません。原子核にも「陽子」や「中間子」といった内部構造があり、その陽子や中間子も、いくつかの粒子によって形づくられているのです。

その粒子が「クォーク」と呼ばれるもの。いまのところ、クォークこそが真の「素粒子」だと考えられています。その大きさは、どんなに大きく見積もっても10^{-19}メートル。かつて「素粒子」だと思われた原子とは9桁、その真ん中にある原子核とも4桁違うのです。

さらに重力と電磁気力、そしてあとで説明する強い力と弱い力も統一すると期待されている「ひも理論」では、素粒子の大きさは10^{-35}メートルだと考えられています。

世界は「ウロボロスの蛇」

宇宙は10^{27}メートル、素粒子は10^{-35}メートル。この途方もないスケールが、私たちが存在する自然界の「幅」ということになります。その両端にある宇宙研究と素粒子研究のあいだには62桁もの「距離」がある、と言ってもいいでしょう。

ところが最近の研究では、まったく関係なさそうに見えるこの2つが、実は密接につながっていることがわかってきました。

その背景にあるのは、いわゆる「ビッグバン宇宙論」です。

ビッグバンの考え方によれば、宇宙は最初から現在のように巨大な空間だったわけではありません。誕生直後から徐々に膨張して、いまのサイズになっている。その証拠も見つかってい

[図2] ウロボロスの蛇

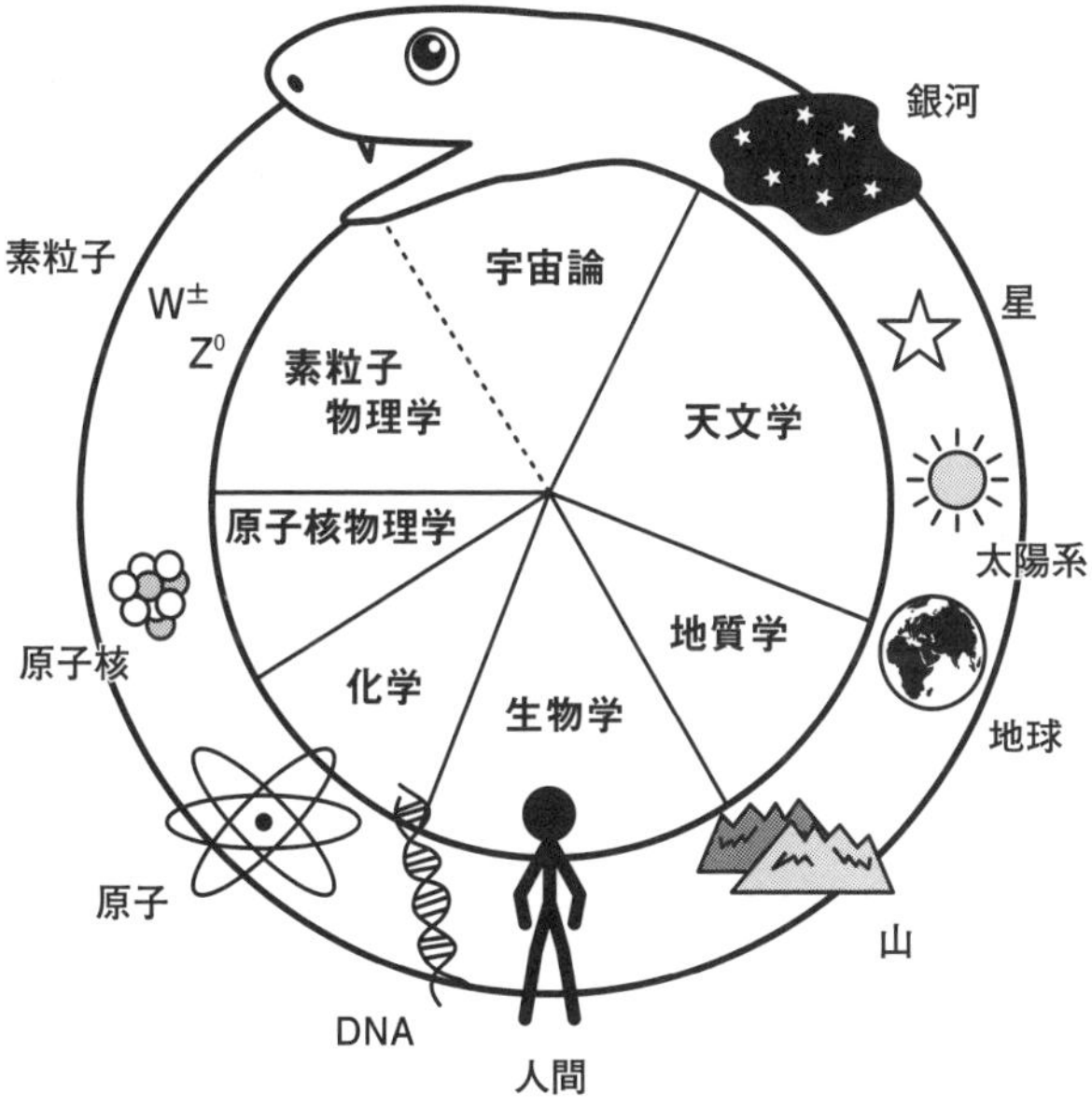
銀河
素粒子
W±
Z0
宇宙論
素粒子
物理学
星
天文学
太陽系
原子核物理学
原子核
地質学
化学
生物学
地球
原子
山
DNA
人間

ますが、それはまたのちほど説明しましょう。

膨張しているとすると、宇宙の歴史を遡《さかのぼ》っていけば、そのサイズは逆にどんどん小さくなっていきます。ビッグバン直後の宇宙は、それ以上は小さくできないほど小さいものだったでしょう。

これは、まさに「素粒子の世界」だと思いませんか？

したがって、宇宙の起源を知ろうと思ったら、素粒子のことを理解しなければいけません。逆に、大きな宇宙を調べることによって、小さな素粒子についてわかることもあります。自然界の両極端にあるように見えながら、この2つは切っても切れない関係にあるのです。

みなさんは、ギリシャ神話に登場する「ウロボロスの蛇」をご存じでしょうか。自分の尾を飲み込んでいる蛇のことで、古代ギリシャでは、「世界の完全性」を表すシンボルとして描かれました。

宇宙と素粒子のことを考えるとき、私はよくこの蛇を思い出します。宇宙という頭が、素粒子という尾を飲み込んでいる。広大な宇宙の果てを見ようと思って追いかけていくとそこには素粒子があり、いちばん小さなものを見つけようと追いかけていくと、そこには宇宙が口を開けて待っているというわけです。

ですから、宇宙研究者が素粒子を語ることに、何の不思議もありません。

それでは、これからみなさんを、ものすごく小さくて大きな世界へ、ご案内することにいたしましょう。

第1章

宇宙は何でできているのか

リンゴと惑星は同じ法則で動いている

21世紀の現代に生きるみなさんは、「宇宙」という言葉を聞いて、どんなイメージを抱くでしょうか。ガリレオが望遠鏡を空に向けたのは400年前ですが、その前と後とで、私たち人類の思い描く宇宙の姿は大きく様変わりしています。

望遠鏡のなかった大昔の人々は、おびただしい数の星がまたたく夜空を、肉眼で見上げるしかありませんでした。そして、漆黒《しっこく》のキャンバスの上に神様や動物の形をした星座を描き、天上には地上とは別の世界が広がっているように考えたのです。それは、ほとんど「想像上の世界」だったと言えるでしょう。

しかし現代人が宇宙に抱くイメージは、それとは比較にならないほど具体的なものになりました。高度に発達した望遠鏡のおかげで、宇宙の風景をきわめてリアルに見ることができるからです。

たとえばアメリカのハッブル宇宙望遠鏡は、地球を周回する人工衛星から撮影した宇宙を私たちに見せてくれます。地上から見た星がキラキラとまたたくのは空気の動きによるものですが、ハッブル宇宙望遠鏡はそれに邪魔されることがありません。そのため、とても鮮明な写真を撮影できるのです。

そういう写真を、新聞やテレビなどを通じてご覧になったことのある人も多いでしょう。月のクレーターや木星の縞《しま》模様はもちろん、もっと遠くにある星や銀河の様子も、いまでは手に取るようにわかるようになりました。

その光景は、日常の風景とは違う幻想的なものです。その意味では、古代人が抱いたイメージと似た部分はあるでしょう。でも幻想的に見えるのは、私たちの住む地球を外から写した映像も同じこと。どちらも想像上の風景ではなく、たしかな現実です。古代人のイメージとは違い、宇宙は私たちにとって決して「別の世界」ではありません。この地球も何万光年離れた星も、同じ宇宙という世界の中にあると、多くの現代人はイメージできるようになりました。

ところで、本書で紹介する素粒子と宇宙の研究には、大きく分けて2つのテーマがあります。

1つは、「物質は何でできているのか」。

もう1つは、その物質を支配する「基本法則はいかなるものか」です。

もし宇宙が地上とは「別の世界」なのであれば、この2大テーマについても別々に考えなければいけません。遠くの星は地上の物質とは違うものでできあがっており、したがってその基本法則も異なるだろうからです。

でも私たちは、「天上」と「地上」が同一の世界だと知っています。はるか彼方の星も、私たちの地球（やリンゴやビルや私たち自身）と同じものでできている。だからこそ、物質の根源を探る素粒子研究と宇宙研究が「ウロボロスの蛇」のようにつながるのです。

物質が同じなら、それを支配する物理法則も同じです。「天上」と「地上」のあいだに違いはありません。

この事実を最初に明らかにしたのが、あのアイザック・ニュートンでした。有名な「万有引力の法則」です。人類はここで初めて、地上で木から落ちるリンゴと、天上にある惑星が、まったく同じ法則で動いていることを知りました。

宇宙を「別世界」と考えていた古代人はもちろん、これは現代人にとってもすぐにはピンと来ない話かもしれません。リンゴが地面に落ちる動きと、地球が太陽のまわりを回る動きは、一般的な感覚では別のものでしょう。

でも、地球が秒速30キロメートルという猛スピードで太陽のまわりを回って、あらぬ方向に飛び去っていかないのは、太陽の重力に引っ張られて「落ちて」いるから。リンゴが地球の重力に引っ張られて落ちるのと、まったく同じことなのです。

ちなみに、万有引力の法則を解明したニュートンの著書は『自然哲学の数学的原理』というタイトルでした。やはりガリレオが指摘したとおり、「宇宙という書物は数学の言葉で書かれている」のです。「数物連携」は、いまに始まったわけではありません。

リンゴの皮の部分に浮かぶ国際宇宙ステーション

ニュートンが打ち立てた古典力学は、その後、素粒子の飛び交う「ミクロの世界」には通用しないことがわかりました。そして現代物理学は、ミクロの世界を支配する基本法則を、全力を挙げて解明しようとしています。

その意味では、古典力学に支配されるマクロの世界と、そうではないミクロの世界は、「別世界」ということにもなるでしょう。しかし、いずれは両者を同じ理論で統一するのが私たち物理学者の夢。かつてニュートンが「天上」と「地上」を1つの理論で統一したように、「極小」から「極大」までの世界をすべて支配する基本法則を発見するのは、物理学における最大の目標です。

しかし、それについて説明するのは後回しにしましょう。ここでは、第1のテーマである「物質（つまり宇宙）は何でできているのか」について少し話を進めておきます。

宇宙の実態を知ろうと思ったら、まずはそれを「見る」ことが大事です。天動説から地動説への転換も、ガリレオが望遠鏡で宇宙を観察したことから始まりました。

もちろん研究する上では、遠くから「見る」よりも、現場に「行く」ほうが望ましいのですが、相手が宇宙となると、なかなかそうもいきません。1960年代にアポロやソユーズに乗った宇宙飛行士から、国際宇宙ステーションに長期滞在して重要なミッションを果たした若田光一さん、野口聡一さんまで、「宇宙に行ったことのある地球人」は大勢いますが、宇宙のスケールから見れば、その移動距離はたかが知れています。

たとえば野口さんたちが滞在した国際宇宙ステーションが浮かんでいるのは、地上から375キロメートルの高さ。地球の直径は約1万2000キロメートルですから、ほんのちょっとだけ宇宙空間に出たにすぎません。地球がリンゴだとすれば、その皮から頭を出した程度のことです。

アームストロング船長が「人類にとって大きな一歩」という名言を残したアポロ11号の月面着陸も、その「歩幅」は小さなものでした。

地球から月までは約38万キロメートルの距離があり、アポロは片道で地球をほぼ10周したのと同じことになります。ですから遠いといえば遠いのですが、これは光速（秒速3億メートル）でたった1・3秒の距離（1・3光秒）にすぎません。宇宙空間での距離は「光年」（光速で何年かかるか）という単位で語られますから、「光秒」で行ける月は、ほんの玄関先です。

ちなみに、地球からもっとも近い恒星である太陽までは、1・5億キロメートル。ここまで離れると単位が1つ上がって、「8・3光分」となります。つまり、私たちが見る太陽は8・3分前の姿ということ。いまこの瞬間に太陽が消えてなくなったとしても、私たちは8・3分後までそれに気づかないわけですね。

「4光時」の冥王星まで20年かかったボイジャー

人類はまだ「玄関先」の月までしか到達していません。

しかし技術の進歩で、人間が行かなくても天体の調査は可能になりました。遠くの星に無人の探査機を飛ばして、映像を撮ったり、土砂のサンプルを採ったりできるようになったのです。たとえば日本も、最近「かぐや」という探査機を月に送り込みました。月の周囲を自在に動いて、映像を地球まで送ってくれる探査機です。

また、日本が打ち上げた人工衛星の中でもっとも遠くまで行ったのは、小惑星探査機の「はやぶさ」です。地球と火星の軌道を横切るように公転している「イトカワ」という小惑星に、２００５年の夏に到達し、２０１０年の6月に地球に帰還しました。

地球からこの小惑星までの距離は、最大20光分。太陽の約2倍半です。「はやぶさ」のコンピュータに地球から指令を送ると、返事が届くまでに40分かかる。それだけ離れた星でサンプルを採取して、それを地球に持ち帰るというのですから、実に野心的なプロジェクトでした。

アメリカが１９７７年に打ち上げた2機の「ボイジャー」は、もっと遠くまで行きました。光速で4時間かかる冥王星のあたりまで、およそ20年かけてたどり着いたのです。

ボイジャーに、地球の情報を詰め込んだレコードが積み込まれていることは、ご存じの方も多いでしょう。「The Sounds of Earth」と題された銅板製レコードには、地球の音楽やさまざまな言語の挨拶（日本語の「こんにちは」も含まれています）、写真、イラストなどが収録されています。いまだに旅を続けているボイジャーが、太陽系を離れて他の恒星系へたどり着き、その惑星で暮らす知的生命体（それを解読できるほど知的な生命体）に発見されれば、何らかのリアクションがあるかもしれません。

ただし、その可能性がある星の中でもっとも近いのは、地球から4・2光年も離れたプロキシマ・ケンタウリという恒星です。その惑星で知的生命体に発見されたとしても、返事が届くまでに4年かかります。

それ以前に、ボイジャーがいつそこに到着するかがわかりません。なにしろ「4光時」の冥王星まで20年かかったのです。4光年は、その24倍のさらに365倍という距離。その頃にアメリカ合衆国という国が存在するかどうかも微妙なところではないでしょうか。まさに気の遠くなるような旅なのです。

太陽光を分析すると太陽の組成がわかる

そんなわけですから、人間であれ探査機であれ、宇宙に「行く」のは大変なことです。しかし「見る」だけなら、もっと簡単にできます。こちらから行かなくても、向こうから地球まで届く「光」さえあれば、望遠鏡の性能をどんどん高めることで、どんなに遠くの星でも観察できるのです。

もちろん、「見る」だけでは、宇宙空間に存在する物質に触れることはできません。実物が手に入らないのでは、それが「何でできているか」を知ることはできないと思う人もいるでしょう。

しかし実は、現物のサンプルが手に入らなくても、見ることさえできれば、その物質が何かを調べることができます。たとえば太陽に行ったことのある人はいませんし、探査機も近づいていませんが、私たちは、それが地球と同じ「原子」のかたまりだと知ることができました。太陽だけではありません。何万光年も離れた遠くの星も、すべて原子でできていることがわかっています。だから学校でも、「万物は原子でできている」と教えることができるのです。

これは、20世紀の天文学におけるもっとも偉大な発見だと言えるでしょう。

では、なぜ「見る」だけでそれが原子だとわかるのでしょうか。

それを教えてくれるのが、地球に届く「光」です。みなさんは小学校の理科の授業で、太陽の光をプリズムに通して「虹」をつくったことがありますよね？　そこには、赤から紫まですべての色が含まれています。でも、実はそれだけではありません。もっと精密な機械で分光すると、ところどころに黒い線が入っているのです。

[図3] 太陽の吸収線スペクトル

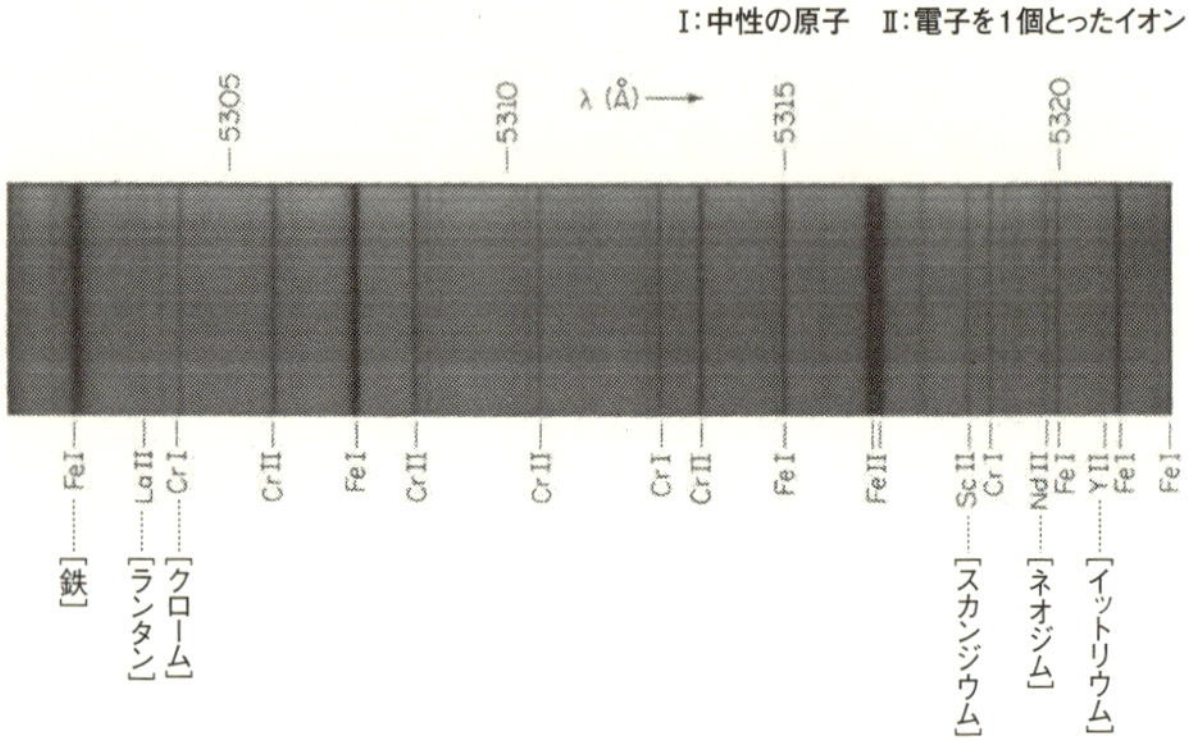

・太陽核融合反応によって発生した光が太陽を構成するガス体を通過
・ガス体の成分である元素に対応する波長の光が吸収され、
その部分が黒い線になる。

黒いとは、その色の部分だけ「光がない」ということ。正確に言うと、あるものに光が「吸収」されてしまうため、地球まで届きません。

その光を吸収しているのが「原子」です。原子の種類によって吸収する波長が異なるので、ある色の波長が黒くなっていれば、その原子が「ある」とわかる。そして、太陽から来た光のどの波長が吸収されているかを分析したところ、間違いなく地球上と同じ種類の原子が存在することがわかりました。まさに光を「見る」だけで、太陽という星が何でできているかが判明したわけです。

光さえあればいいのですから、遠くの星についても同じように調べられることはおわかりでしょう。黒い線の濃さを分析すれば、その星にある原子の量もわかります。ある原子が多いほど、その原子に対応する波長の光をたくさん吸収するので、その部分の線が濃くなるのです。

「発見できないが存在する」と予言されたニュートリノ

また、宇宙から届くのは光だけではありません。地球上には無数の粒子が降り注いでいて、それが宇宙の成り立ちを教えてくれることもあります。

たとえば、みなさんは「ニュートリノ」という言葉をご存じでしょう。2002年に小柴昌俊さんがノーベル物理学賞を受賞したとき、新聞やテレビの報道で何度も見聞きしたはずです。

この粒子の存在が理論的に「予言」されたのは、いまから80年ほど前のことでした。そのような予言は、素粒子物理学の世界では珍しくありません。従来の理論で説明のつかない現象があると、「こういうものがあれば理論的に辻褄《つじつま》が合う」というアイデアが提案され、その仮説に見合うものをみんなが探し始めるのです。たとえば、日本人初のノーベル賞を受賞した湯川秀樹博士の「中間子理論」もそうでした。まず湯川博士の「予言」があって、その理論に基づいて新しい粒子が発見されたのです。

のちに「ニュートリノ」と名付けられた粒子が「存在するはずだ」と考えられたのは、そうでなければ、ある現象が「エネルギー保存の法則」と矛盾するからでした。

すべての物理現象は、その前後でエネルギーの総量が同じでなければいけません。ある現象が起きたときに、全体のエネルギーが増えたり減ったりしてはいけないのです。もし、この基本法則に合わない現象があるとしたら、理論そのものを根底から見直さなければなりません。

ところが、中性子の「ベータ崩壊」という現象では、その保存則が破れていました。ベータ崩壊とは、原子核の中にある中性子が電子を放出して陽子に変わる現象のことです。中性子は電荷が±0で、陽子は+1。ですから、中性子から電子（電荷−1）が1つ飛び出すと、電荷が+1となって、陽子になるわけです。

みなさんは古代の遺跡から出土した骨や工芸品の年代を決める「炭素年代測定法」について聞いたことがあるかもしれません。そのために重要な炭素の同位元素である「炭素14」は、6個の陽子と8個の中性子を持っています（ふつうの炭素は陽子も中性子も6個）。その中性子の1つがベータ崩壊を起こすと、陽子と中性子が7個ずつになる。これはもう、炭素の同位元素ではありません。原子量7の「窒素」に変身してしまいます。

それはいいのですが、問題はベータ崩壊の前後でエネルギーが異なることにあります。崩壊前に中性子が持っていたエネルギーより、崩壊後のエネルギー（陽子+飛び出した電子）のほうが小さいのです。

これはいわば、割れた茶碗の破片をすべて集めて秤《はかり》に載せたら、割れる前よりも重さが減っていたようなものです。保存則が正しいとすれば、何か未知の存在がエネルギーを持ち去っているとしか考えられません。

そこでスイスの物理学者パウリは、ベータ崩壊の際に、電子だけではなく、電荷を持たない謎の粒子がいっしょに飛び出しているはずだと考えました。

ただしその仮説によれば、その粒子は質量がゼロ（もしくは観測できないほど小さい）。そして、ほかの物質と出会っても反応せずに素通りしてしまうと言います。まるで「お化け」のような粒子なのです。

したがってパウリは、その粒子は「絶対に発見できないだろう」と予想しました。「あるけど見つけられないよ」というのですから、聞きようによっては無責任な話です。「いくら探しても見つからないから、パウリは間違っている」という反論ができません。

しかしパウリの仮説の半分は正しく、半分は間違っていました。1950年代に、実験室で、彼の予言した粒子＝ニュートリノの存在が確認されたのです。本当の「お化け」ではありませんでした。

ニュートリノは毎秒何十兆個も私たちの体を通り抜ける

宇宙から飛んできたニュートリノを世界で初めて捕まえたのは、日本の「カミオカンデ」という観測装置でした。岐阜県神岡鉱山の地下1000メートルの深さにつくられたカミオカンデは、3000トンもの水を蓄えたタンクと、1000本の光電子増倍管からなる巨大な装置です。

ニュートリノは宇宙から大量に降り注いでいます。私たちの体は1秒間に何十兆個もニュートリノを浴びていますが、ほかの物質とはほとんど衝突せずにスルスルと通り抜けてしまうので、見つけるのは至難の業です。しかしカミオカンデは、1987年2月、大量に蓄えた水中の電子と衝突したニュートリノを検出しました。その数はたった11個でしたが、それだけでも「大量」と言えるのが、ニュートリノの扱いにくいところです。

カミオカンデがキャッチした11個のニュートリノは、大マゼラン星雲で起きた超新星爆発によって生じたものでした。この超新星爆発は、銀河全体よりも明るくなるほどの光を放ちましたが、その光のエネルギーは、爆発によって生じた全エネルギーの1%にすぎません。爆発で出たエネルギーの99%を占めていたのがニュートリノです。それほど多くのニュートリノが放出されたからこそ、カミオカンデはそのうちの11個を捕まえることができました。そして、超新星爆発で大量のニュートリノが生じたことは、その星が地球や太陽と同じ「原子」でできていることを物語っています。

この功績によって、小柴さんはノーベル賞を受賞しました。ちなみに、爆発した超新星は地

［図4］スーパーカミオカンデの内部

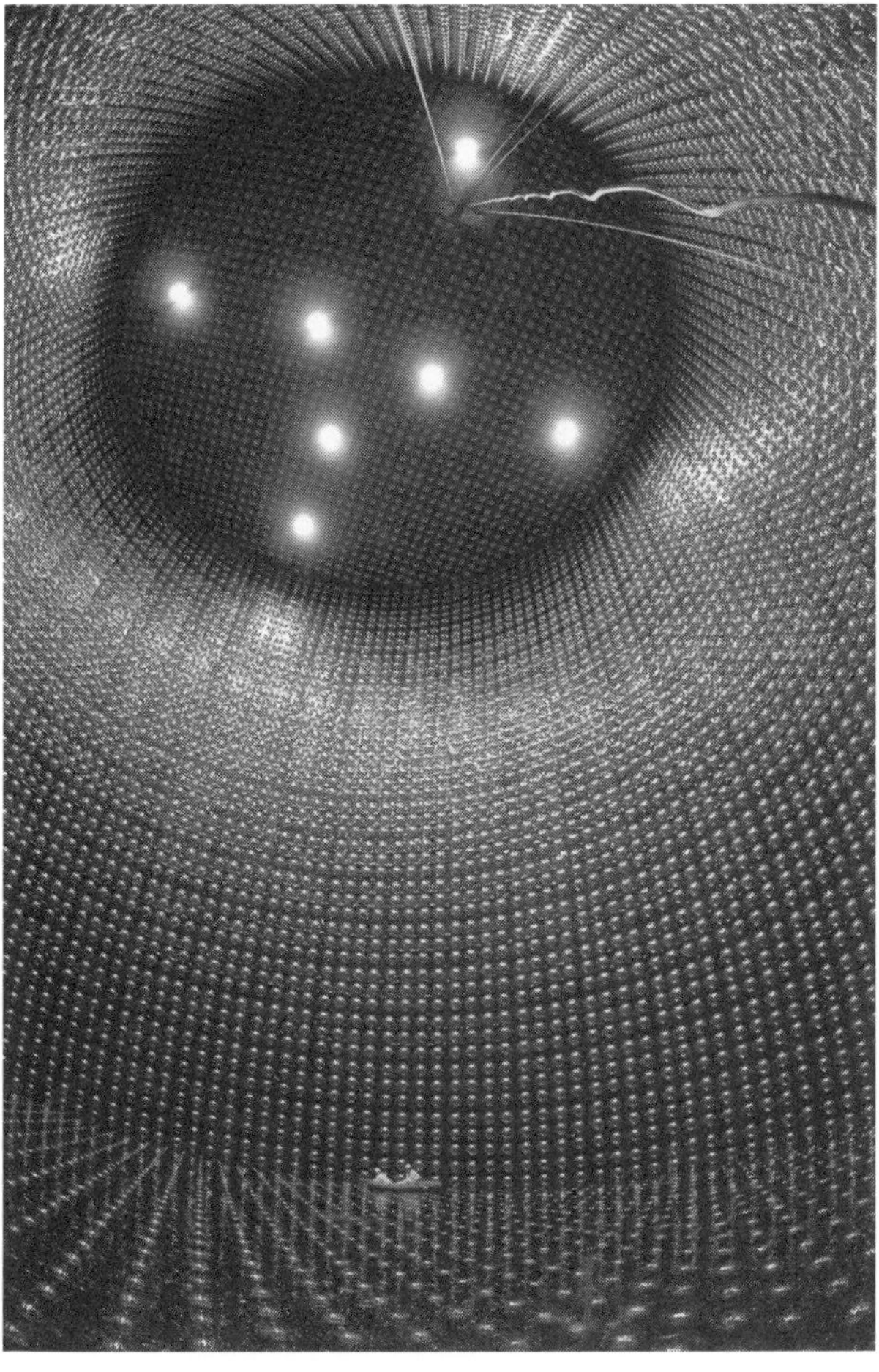

球から16万光年も離れています。したがって、光速で進むニュートリノも、16万年かけてカミオカンデにたどり着きました。その日は、小柴さんが定年退官を迎えるわずか1カ月前だったというのですから、驚くべき強運の持ち主です。

また、あの発見の数カ月前に、カミオカンデでは蓄えた水をきれいにする作業を行いました。水が汚れていると、光電子増倍管にたくさんのノイズが入ってしまい、どれがニュートリノなのかわかりません。この作業をやっていなければ、ノーベル賞もなかったでしょう。

さらに、当時あの施設には「あいつがいるとなぜか実験がうまくいかない」と非科学的な中傷を受ける大学院生がいたらしいのですが、ニュートリノを捕捉したときはたまたま不在だったとか（笑）。あの大発見は、さまざまな幸運に恵まれていたわけです。

それがなければ、次の一大プロジェクトである「スーパーカミオカンデ」の予算もつかなかったでしょう。カミオカンデの貯水量は3000トンでしたが、スーパーカミオカンデは5万トン。壁面の光電子増倍管も1万1200本に増えました。こんど超新星爆発が起きれば、一度に何千個ものニュートリノをキャッチできるでしょう。

それだけではなく、大量に降り注ぐニュートリノが突然スッと来なくなる瞬間も観測できるかもしれません。実は、いまスーパーカミオカンデが最大のターゲットの1つにしているのが、その現象です。爆発を起こした超新星が潰れて、そこにブラックホールが生まれると、発生し

[図5] スーパーカミオカンデの光電子増倍管

水中で起きる反応から発生する光を、この大きな検出器でとらえる

©東京大学宇宙線研究所 神岡宇宙素粒子研究施設

たニュートリノはそこから出られなくなってしまいます。ですから、ニュートリノが来なくなる瞬間をとらえれば、そこでブラックホールが誕生したことがわかるのです。

それがいつになるのかはわかりませんが、スーパーカミオカンデは別のテーマで、すでに大きな成果を挙げました。お化けのようなニュートリノに、実はほんの少しだけ質量があることを、観測によって明らかにしたのです。

その意味はこの講義の最後のほうでお話しすることにしますが、ここからは実に驚くべき事実が判明しました。宇宙に存在するニュートリノをすべて集めると、宇宙にあるすべての星とほぼ同じ質量になるというのです。この発見は、1998年のこと。この十数年のあいだに、私たちの「宇宙像」が大きく変わりつつあることが、この話だけでもよくわかるのではないでしょうか。

すべての星を集めても宇宙全体の重さの0・5%

しかし、私たち研究者をビックリさせたのは、スーパーカミオカンデの観測結果だけではありません。いまはそれ以外にも、「宇宙は何でできているのか」について、次々と新事実が判明しています。

スーパーカミオカンデは、すべての星とニュートリノが同じくらい存在することを突き止めましたが、では、その「すべての星」が宇宙の中でどれくらいの割合を占めているか、みなさんは見当がつくでしょうか。

宇宙にある物質といえば、ふつうは恒星や惑星などの星しか思いつきません。ニュートリノがそれと同じだけあるとすれば、「宇宙の50％は星、残りの50％はニュートリノ」ということになりそうです。

ところが最近の観測結果は、そんな常識的な見方を根こそぎひっくり返すような事実を明らかにしました。私たちの目に見える星たちは、すべて足し合わせても、宇宙の全エネルギーの0・5％にしかならないというのです。ニュートリノを加えても、たった1％にしかなりません。

注意深い人は、いまの話に、ちょっと首をかしげたかもしれませんね。星の「重さ」の話をしていたはずなのに、私が「宇宙にある物質の全質量」ではなく、「全エネルギー」と言ったからです。でも、これは言い間違いではありません。アインシュタインの相対性理論を踏まえたものです。

アインシュタインは、あの有名な「$E=mc^2$」（エネルギー＝質量×光速の2乗）という方程式によって、物質の質量はエネルギーに換算できることを示しました。ですから、星の質量もエネルギーに換算して比較できるのです。

[図6] 宇宙のエネルギー

・星と銀河	0.5%
・ニュートリノ	0.1〜1.5%
・普通の物質（原子）	4.4%
・暗黒物質	23%
・暗黒エネルギー	73%
・反物質	0%
・暗黒場（ヒグス）	10^{62}%??

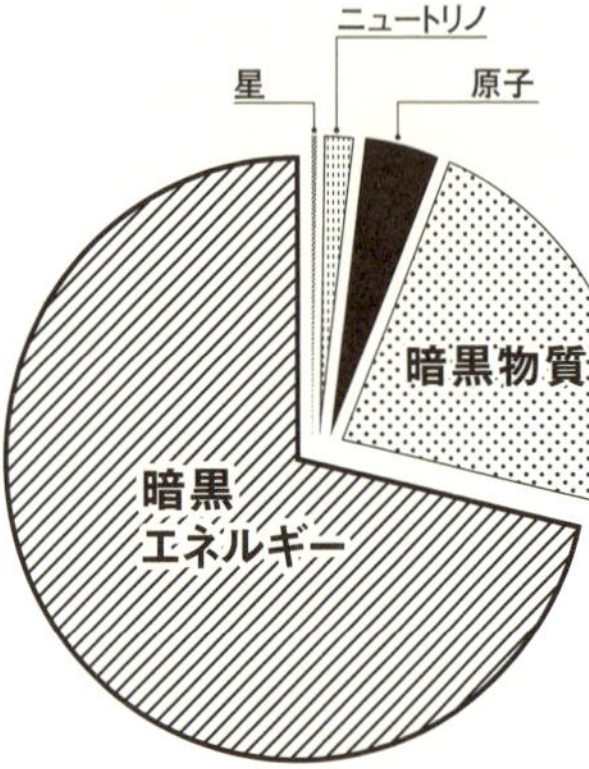

星はすべて原子でできていますが、宇宙空間にはそれ以外にも原子がたくさんあります。たとえば銀河の中に漂っているガスは光らないので目に見えませんが、これも原子でできていることに違いはありません。

そう聞くと、「なるほど、星とニュートリノ以外の99％は、目に見えない原子なんだな」と思うでしょう。でも、それも早合点です。星やガスなど宇宙にあるすべての原子をかき集めても、全エネルギーの4・4％程度にしかなりません。

学校では「万物は原子からできている」と習いますし、たしかに地球以外の星も原子でできてはいます。しかし実は「原子以外のもの」が、宇宙の約96％を占めている――それがわかったのは、2003年のことでした。

20世紀の「常識」が、21世紀に入って間もなく、思い切り覆されてしまったのです。

宇宙全体の23％を占める「暗黒物質」

では、原子ではない96％は、いったい何なのでしょうか。残念ながら、それはまだわかっていません。ただし、名前だけはついています。

その1つが、「暗黒物質（ダークマター）」と呼ばれるものです。何やらSF映画のようなネーミングで、私たちの世代などはつい『スター・ウォーズ』に出てくるダース・ベイダーの顔を思い浮かべたりしますが、なにしろ正体がさっぱりわからないので、そんな呼び方しかできません。

しかし、正体は不明でも、それが「ある」ことはわかっています。かつてのニュートリノがそうだったように、その存在を前提にしないと辻褄の合わない現象がいろいろとあるからです。ここでは、その1つを紹介しておきましょう。

前に、秒速30キロメートルで回っている地球がどこかに飛んでいかないのは、太陽の重力で「落ちて」いるからだという話をしました。だから、いくつもの惑星を持つ太陽系がバラバラにならずに成り立っているわけです。

ほとんどの人は学校の授業で地球の公転スピードを習った記憶がないでしょう。それはたぶん、子どもたちが怖がるからです（笑）。自分たちの乗り物が秒速30キロメートル（時速10万8000キロメートル！）で突っ走っていると思ったら、ちょっと気分が悪くなる人もいるかもしれません。

それだけでなく、実は地球を含む太陽系自体も猛スピードで動いています。それも、秒速220キロメートル。私たちは、宇宙という大海原を、1時間に約80万キロメートルの速さで進んでいるわけです。

とはいえ、あてもなく猪突猛進しているわけではありません。地球が太陽の重力で「落ちる」のと同様、太陽系も天の川銀河全体の重力に引っ張られています。銀河系から離れてさまようことはないので、どうぞご安心を（ただし天の川銀河自体が隣のアンドロメダ銀河と45億年後に衝突する予定なので、それまでに脱出計画を立てなければいけません）。

それだけのスピードで走る太陽系を捕まえているのですから、その重力は大変なものです。ところが、不思議なことがわかりました。天の川銀河全体の星やブラックホールなどをすべて集めても、太陽系を引き留めておけるほどの重力にはならないのです。

そんなことが計算できるようになったこと自体が大変な進歩なのですが、ともかく、そこに星以外の「何か」がないと、私たちは安心して太陽系に乗っていられません。どこかへ飛んでいってしまうはずです。しかし現実に、私たちは天の川銀河の一員としてそこに留まっていま

[図7] 天の川銀河

天の川銀河は何千億個もの星の集まり。
太陽系は銀河の中心のまわりを毎秒220キロで回っている。

Credit:NASA

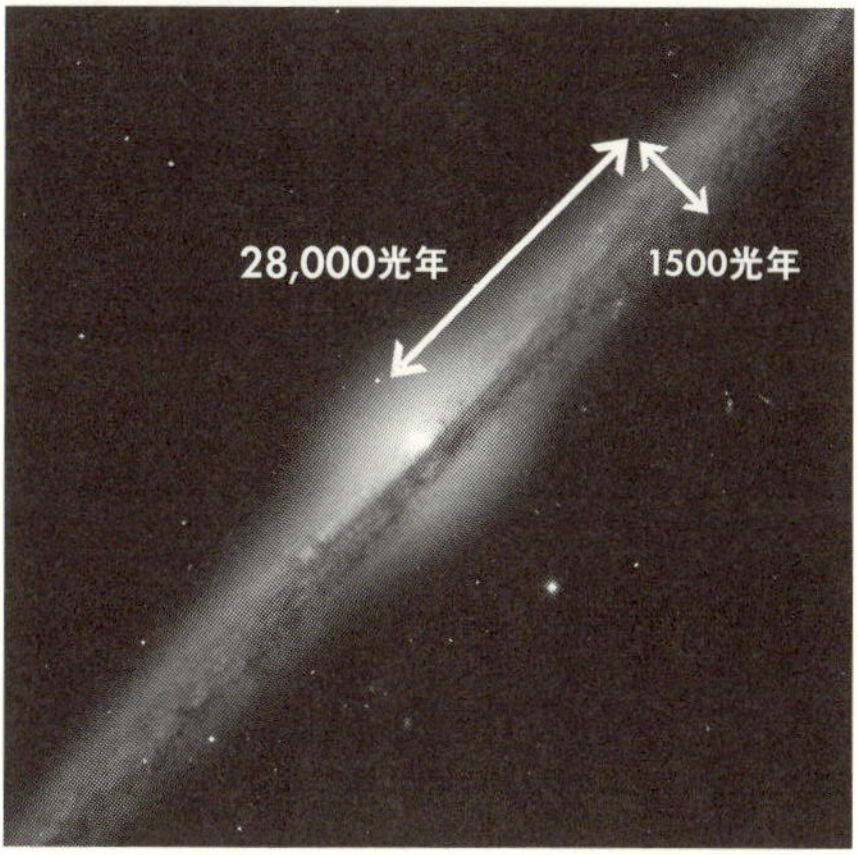

Courtesy Wikimedia

す。

では、何の重力が太陽系をここに引き留めているのか。

それが、暗黒物質です。

もちろん、暗黒物質は私たちが住む天の川銀河だけにあるわけではありません。お隣のアンドロメダ銀河も、ほとんどが暗黒物質です。

暗黒物質は宇宙全体に遍在しており、それが宇宙の全エネルギーに占める割合は約23%、原子のおよそ5倍です。光り輝く星たちが主役だとばかり思っていた銀河系ですが、その星をつくっている原子は、宇宙の中ではマイナーな存在にすぎません。「銀河」とは名ばかりで、実のところ、それは暗黒物質の溜まり場のようなもの。そこに星がちょっと混ざっているのが、銀河系の実態なのです。

宇宙の大部分を占めるお化けエネルギーとは

いまの話で、いかに「万物が原子でできていないか」がおわかりになったでしょう。しかし、原子と暗黒物質を合わせても、まだ27%。宇宙のほんの一部にすぎません。それ以外の73%——つまり宇宙の大部分——は、いったい何が占めているのでしょうか。

これも名前だけは一応ついていて、「暗黒エネルギー（ダークエネルギー）」と呼ばれています。でも、その正体は暗黒物質以上によくわかりません。

　暗黒物質のほうは、私たちの知っている原子とはまったく違うとはいうものの、それなりに「物質」らしく振る舞います。どういうことかというと、宇宙が膨張するにつれて、その密度が薄まるのです。べつに、難しい話はしていません。たとえばビー玉の入った箱の容積を2倍に広げれば、ビー玉の密度は半分になりますよね？　物質とは、そういうものです。その点では、原子も暗黒物質も変わりがありません。

　ところが、暗黒エネルギーは違います。きわめて非常識なことに、宇宙という「箱」がいくら大きくなっても、その密度が薄まることがありません。とても気持ちの悪い話なので、できることなら、「お化けなんてないさ」という歌のように、「お化けなんてウソさ」と思いたいところです。

　でも、そのような不気味なエネルギーの存在を前提としなければ、もっと気持ちの悪い現象を説明することができません。それは、宇宙の膨張スピードが「加速している」という事実です。

　それがなぜ気持ち悪いかを説明する前に、宇宙の膨張について少しお話ししておきましょう。そもそも宇宙が膨張していること自体が、昔の人たちにとっては「気持ちの悪い現象」だったはずです。

かつて宇宙は、始まりも終わりもない、不変の大きさを持つ空間だと考えられていました。それが実はどんどん膨張しているとわかったのは、やはり宇宙から届く「光」を観察した結果です。

光や音などの「波」は、光源や音源が近づいたり離れたりするときに、波長が変化します。誰もが日常的に経験するのは、いわゆる「ドップラー効果」でしょう。自分に近づいてくる救急車のサイレンは音が高く、遠ざかっていく救急車のサイレンは低く聞こえます。近づく音は波長が縮まり、遠ざかる音は波長が引き伸ばされるからです。

光の波長にも、それと同じことが起こります。音波は波長の変化によって「高さ」が変わりますが、こちらで変化するのは「色」です。たとえば、遠ざかる星は赤く、止まっている星は黄色く、近づいてくる星は青白く見えるわけです。

その変化を観察したところ、たとえば黄色に見えるはずだった星が赤くなるなど、星や銀河が地球から遠ざかっていることがわかりました。だからといって、地球が宇宙の中心にあって、ほかの星がどんどん離れているわけではありません。空間全体が膨らんでいるから、それぞれの星が遠ざかっているように見えるのです。

それをイメージしにくい人は、伸縮自在のゴムでつくられた碁盤を思い浮かべてみてください。碁盤全体が宇宙、碁盤の目がそれぞれの銀河です。この碁盤の四隅を引っ張って「膨張」

［図8］広がる空間

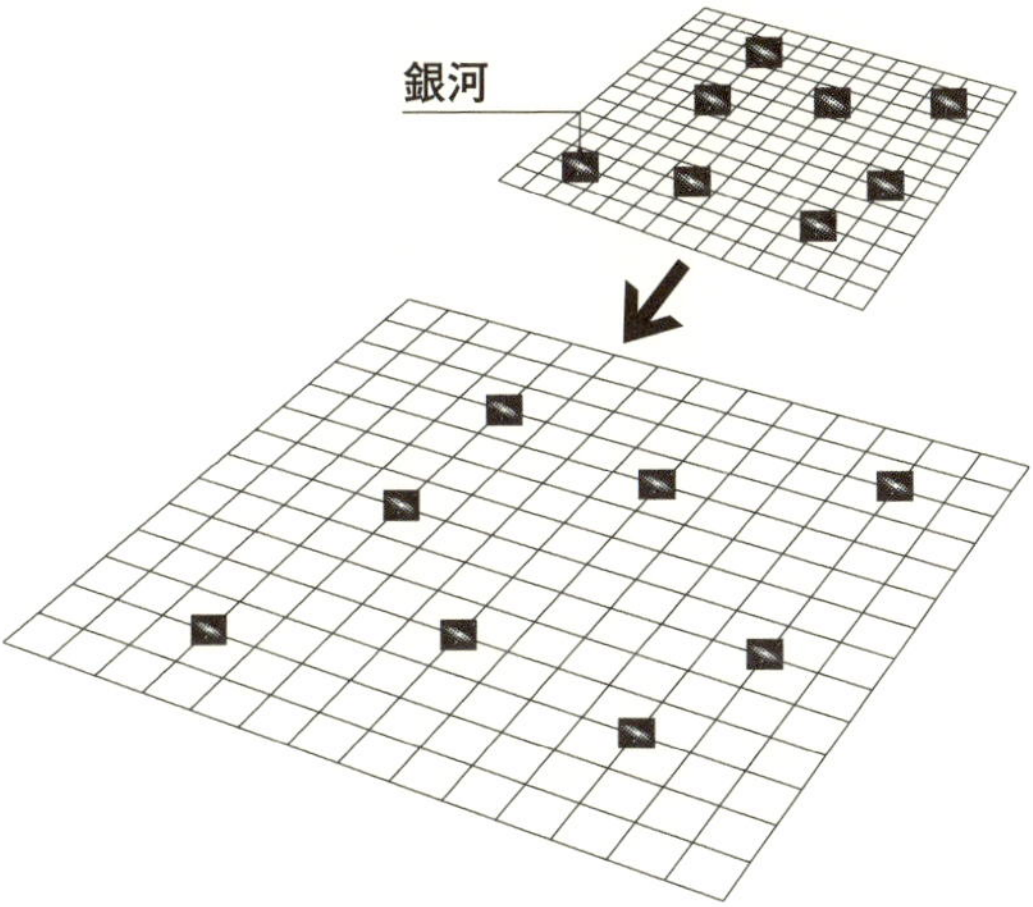

させると、銀河と銀河のあいだの距離は遠くなりますよね？　どの銀河からも、ほかの銀河が自分から遠ざかっているように見えるのですが、「中心」はありません。宇宙の膨張も、それと同じようなものだと思えばいいでしょう。

ビッグバンの証拠になった太古の残り火

膨張する空間の内部では、ある変化が起こります。たとえばヘリウムで膨らませた風船を空に飛ばしたとしましょう。上昇するにつれてまわりの気圧が下がるので風船は膨張しますが、そのとき、風船内部がどうなるかおわかりでしょうか。

答えは、「温度が下がる」です。膨張すると内部のエネルギーが「薄まる」ために、温度が下がっていくわけですね。

宇宙もそれと同様、膨張するにつれて温度が下がっていきます。現在の宇宙の温度は、摂氏マイナス270度（絶対温度で約3度）。きわめて冷たい世界ですが、宇宙は昔からそうだったのではありません。ビデオを逆回転させて歴史を遡れば、宇宙はどんどん収縮していきます。それが極限まで小さくなった瞬間が、「ビッグバン」にほかなりません。そのときの宇宙は、ものすごく熱かったはずです。

とはいえ、それは銀河が遠ざかっているという事実から類推されたにすぎません。本当に宇宙は「小さくて熱い状態」から膨張した――つまり「ビッグバン」は本当にあった――と考えるには、それを示す証拠が必要です。

その証拠を発見した功績によって2006年にノーベル賞を受賞したのが、アメリカのジョージ・スムートとジョン・マザーでした。彼らがCOBEという人工衛星を使って見つけたビッグバンの証拠は、「マイクロ波宇宙背景放射の異方性」です。

やけに難しそうな専門用語が出てきましたが、「マイクロ波」とは、電子レンジや携帯電話などで使われているのと同じような電波のことです。その電波が宇宙のあらゆるところから飛んでくるのが、「宇宙背景放射」です。

それがどうしてビッグバンの証拠になるかと言えば、これはもともと、宇宙が熱かった時代

［図9］マイクロ波宇宙背景放射の異方性

宇宙誕生後38万年の壁。
これより先は決して見ることができない。

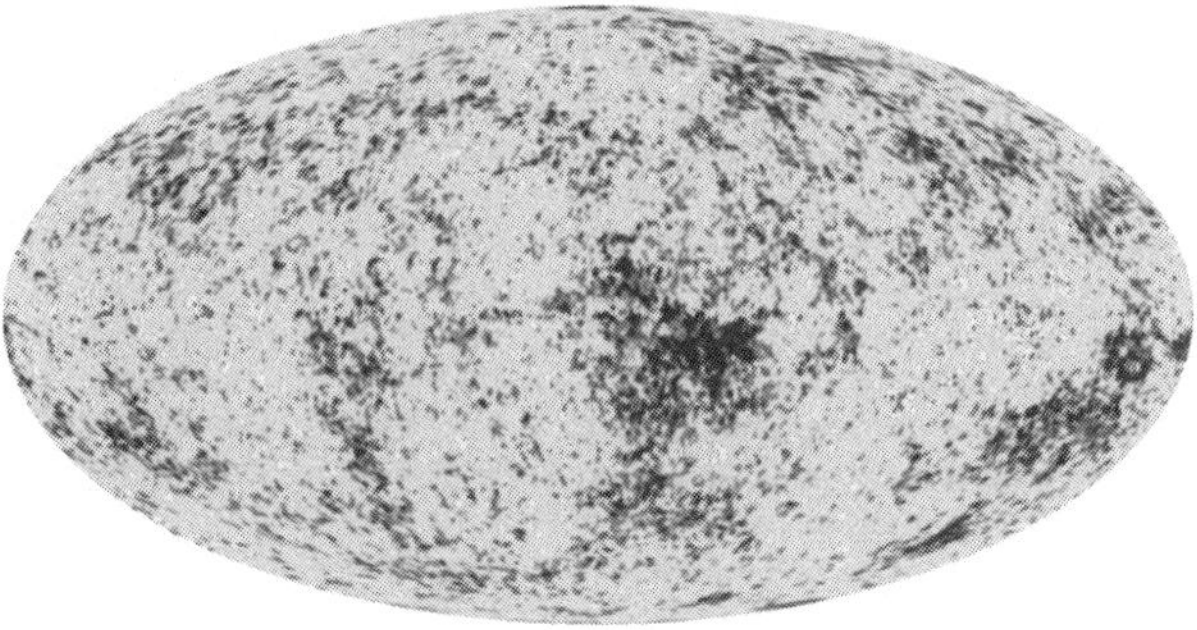

2001年に打ち上げられたWMAP（COBEの後継機）による観測。
Credit:NASA/the WMAP Science Team

に出た「光」だったからです。現在の温度から逆算すると、宇宙はビッグバンから40万年後に摂氏約3000度となり、そこで初めて光が自由に飛べるようになったということが、理論的に予想されていました。

だとすれば、その光の波長は宇宙の膨張によって引き伸ばされ、現在はマイクロ波として観測されるはずだ──そう主張したのは、1946年にビッグバン理論の基礎となるモデルを発表したジョージ・ガモフです。

その予測にピタリと当てはまる「ビッグバンの残り火」が発見されたのは、1965年のことでした。その発見者（アーノ・ペンジアスとロバート・ウィルソン）には、1978年にノーベル賞が与えられましたが、予言者のガモフは残念ながらアルコール依存症で故人となっていたので受賞していません。

しかし、マイクロ波宇宙背景放射の存在だけでは、ビッグバンの証拠として万全ではありませんでした。宇宙背景放射は、全天からほぼ均等に降り注いでいるのですが、ビッグバン理論からはそこにほんのわずかな「ムラ」があることが予想されていたのです。

先ほど出てきた「異方性」とは、この「ムラ」のことです。それをCOBEによる観測で発見したのが、スムートとマザーの2人でした。見つけたのは10万分の1というわずかな異方性ですから、これも科学技術の進歩なしにはあり得ない発見です。

これは余談ですが、スウェーデン科学アカデミーからノーベル賞の知らせが入ったとき、夜中の2時に電話で叩き起こされたスムートさんは、「なぜ私の電話番号を知ってるんだ!」と、ひどくご機嫌斜めでした。隣の住人の番号を突き止めて、そこに電話して聞き出したといいますから、科学アカデミーもよくわからないことをするものです。

しかしスムートさんは、しばらくするとハッピーな気分になり、バークレー大学の物理学教室の前にある駐車場に自分の車を停めました。なぜそれが喜びの表現になるかと言えば、実はあの大学には、ノーベル賞受賞者専用の駐車スペースが並んでいるのです。その名誉を、一刻も早く味わいたかったんですね。

ところが彼はそのときノーベル賞の連絡を受けただけで、まだ受賞式は済んでいません。そのため、「おまえはまだここに停める資格がない」と、反則切符を切られてしまったとか。もっとも、あとで泣きついてキャンセルしてもらったそうですが。

宇宙は加速しながら膨張し続けている

それはともかく、この「マイクロ波宇宙背景放射の異方性」の発見によって、宇宙がビッグバンから始まり、137億年かけて現在の大きさまで膨張したことが完全に裏付けられました。かなり遠回りしましたが、ここでようやく、話は「暗黒エネルギー」に戻ります。

宇宙の「始まり」がビッグバンだったことは確実になりましたが、すると次に問題になるのは、その膨張がいつまで続くのかということです。

それについては、これまで大きく分けて2つの可能性が考えられていました。永遠に膨張し続けるか、極限まで膨張してから収縮に転じるかの、いずれかです。どちらにしても、そこでは膨張のスピードが徐々に「減速」することが前提となっていました。

それはそうでしょう。ビッグバンで始まった宇宙の膨張というのは、いわばボールを思い切り真上に放り投げたようなものです。最初に加えたエネルギーがすべてなのですから、少しずつスピードが落ちていくのが当然です。徐々に減速しながらも止まらずに動き続けるか、上に放り投げたボールが落下するように途中で反転するか、どちらかしか考えられません。

ところが（詳しくはのちほどお話ししますが）つい最近になって、宇宙の膨張が「加速」していることがわかりました。これも、私たちの宇宙観を根底から変えてしまった事実の1つです。

そうだとすると、「投げたボール」を透明人間のような何者かが後ろから押しているとしか考えられません。その「何者か」が、暗黒エネルギーだと考えられています。宇宙という「箱」がいくら大きくなっても薄まらずに、その膨張をぐいぐい後押しする謎のエネルギー。そんな得体の知れないものが、宇宙の7割以上を占めているのです。

こんなにわからないことがあるとわかった21世紀

20世紀の終わり頃まで、宇宙はすべて「原子」で説明できると考えられていました。原子には原子核と電子があり、原子核は陽子と中性子で成り立っており、陽子や中性子はクォークという素粒子でできている……原子の発見からおよそ100年をかけて、物理学は宇宙の成り立ちをそこまで突き止めました。

しかし、「ウロボロスの蛇」の尻尾をクォークまでたどっても、それは「頭」と完全にはつながっていませんでした。かつて「すべて原子でできている」と思われた宇宙には、まだ私たちの知らない謎の存在がたくさんあったのです。

わからないのは、暗黒物質と暗黒エネルギーだけではありません。逆に、「存在しないこと」が不思議なものもあります。「反物質」です。

詳しくは後述しますが、すべての粒子には性質は同じで電荷だけが反対の「反粒子」が存在し、したがってすべての物質には「反物質」が存在します。ビッグバンの瞬間には、それが物質と同じだけ生まれたはずでした。しかし現在の宇宙には、（実験室ではつくれますが）自然状態で存在する反物質が見あたりません。これも大きな謎です。

また、その存在が予言されているものの、まだ見つかっていない粒子もあります。物質の「質量」がそれによって生まれていると考えられる粒子で、予想される量は、なんと宇宙の全エネルギーの10^{62}%。意味がさっぱりわかりませんね。いまのところ、それが何であり、そんなに存在する粒子がどうやってキャンセルされているのか（そうでなければメチャクチャな話です）、すべてが謎です。

これが、「ヒグス粒子」と呼ばれるものです。まだ正体のわからない（本当にあるかどうかもわからない）粒子に名前をつけるのは問題があると思うので、私は勝手に「暗黒場」と呼んでいます。

ちなみに、2008年にノーベル賞を受賞した「小林・益川理論」は反物質、南部陽一郎さんの功績はヒグス粒子に関係するものでした。でも、それらについてはのちほどゆっくりお話しすることにしましょう。ここではとりあえず、「宇宙にはまだまだ謎がたくさんある」ということを知っておいてください。20世紀の終わりから21世紀の初めにかけて、これだけ「わからないことがある」とわかったこと自体が、現代物理学の成果であり、大きな前進なのです。

第2章 究極の素粒子を探せ！

皆既日食で証明されたアインシュタイン理論

宇宙の観察を通じて、私たち人類はその成り立ちについて多くのことを知りました。知れば知るほど「次なる謎」も出てくるわけですが、「宇宙を見る道具」としての望遠鏡の発達がなければ、そこに謎があることさえ気づかなかったでしょう。

前にアメリカのハッブル宇宙望遠鏡を紹介しましたが、日本の国立天文台も「すばる望遠鏡」という大型光学赤外線望遠鏡を持っています。設置されているのは、ハワイ島のマウナケア山頂。レンズの口径は8・2メートルもあり、1999年に完成した当時、一枚鏡のものではこれが世界最大でした。

この望遠鏡が過去に発見した天体を見れば、その威力がよくわかります。たとえば2005年、くじら座の方向で見つけた銀河団までの地球からの距離は、128億光年。2006年には、127億光年先のクエーサー（準恒星状天体）を発見しました。同じ年には、128億8000万光年離れた銀河も発見しています。

こうした望遠鏡による観測によって、私たちが知ることのできる宇宙の範囲はどんどん広がっています。研究の積み重ねを通じて、「暗黒物質」のこともかなりわかってきました。その正体はいまだに謎ですが、暗黒物質が宇宙のどこにどれくらい存在するかを示す「地図」がつくれるまでになっているのです。

暗黒物質は目に見えないので、その地図がつくれることを不思議に思う人もいるでしょう。それが可能なことを理解するには、またアインシュタイン先生にご登場願わなければなりません。

みなさんは、アインシュタインを一夜にして超有名人にした「事件」があったのをご存じでしょうか。それは、1919年に南半球で皆既日食が起きたときのことです。ある天文学者が太陽の近くに見える星の位置を観測したところ、それが夜に見える位置よりもほんの少しだけずれていることがわかりました。

この事実は、翌日の新聞で大々的に報道されました。観測した天文学者ではなく、アインシュタインの功績を讃えるニュースとして、です。

というのも、この星の見え方の「ずれ」は、アインシュタインが一般相対性理論で予想した数値とほぼ完全に一致していました。その斬新な理論の正しさを証明したのが、この観測結果だったのです。

なぜ見えない暗黒物質の「地図」がつくれるのか

一般相対性理論は、物質に「重力」が働く仕組みを説明するものでした。重力と言えばニュートンですが、彼はリンゴも地球も重力によって「落ちる」ことを明らかにはしたものの、その重力がなぜ物質に働くのかということまでは説明していません。

それを、「重力が空間を曲げるから引力が働く」と説明したのが、アインシュタインです。

一体、どういうことでしょうか。

たとえば、やわらかい真っ平らなゴムシートがあるとしましょう。ここに重い鉄球を置くと、ゴムシートはその部分が下に向かってグニャリと曲がります。

では、そこから数センチメートル離れた位置に別の鉄球を置くと、どうなりますか？　ゴムシートはさらに曲がり、2つの鉄球は、そのへこんだ部分に向かって転がります。そして最後には、コツンとぶつかる。ゴムシートが目に見えない素材でできていたら、お互いが引き合ってくっついたように見えるはずです。

このゴムシートが「空間」、2つの鉄球は「リンゴ」と「地球」（あるいは「地球」と「太陽」）だと思ってください。いまのたとえ話は2次元の世界ですが、同じことは3次元空間でも起こります。

それがイメージできれば、アインシュタインの言いたいことが大まかに理解できたと思っていいでしょう。物質の重さによって空間が曲がるから、物質がお互いに引き合っているように見えるわけです。

そしてアインシュタインは、空間が曲がる以上、光も重力によって曲がって進むと考えました。ならば、大きな重力を持つ太陽の近くを通る星の光も曲がるはずです。

ただし太陽は明るいので、近くにある星を地上から観察することはできません。でも、それが可能になる千載一遇のチャンスがあります。太陽があるのに真っ暗になる瞬間——つまり皆既日食のときです。

そのためアインシュタインは、かねてから、日食時に太陽付近の星の位置を調べることを提言していました。その提言どおりに調べてみたら、太陽のあるとき（皆既日食時）と太陽のないとき（夜）とでは、同じ星の位置が違って見えた。その「ずれ」の分だけ、光が太陽の重力によって曲がっていたわけです。

このように、光が天体などの重力によって曲げられて、観測者からの見え方が変わることを、「重力レンズ効果」と言います。

ここまで説明すれば、察しのいい人はもうおわかりでしょう。

暗黒物質は太陽系を天の川銀河に引き留めるほどの重力を持っていますから、当然、そこでは重力レンズ効果が生まれます。そのため、その向こうにある星や銀河の光がグニャグニャと曲げられ、望遠鏡に映る像がさまざまな形に歪《ゆが》んでいる。その歪み具合を分析すると、暗黒物質がどのように分布しているかが推測できるのです。

[図10] 暗黒物質の地図

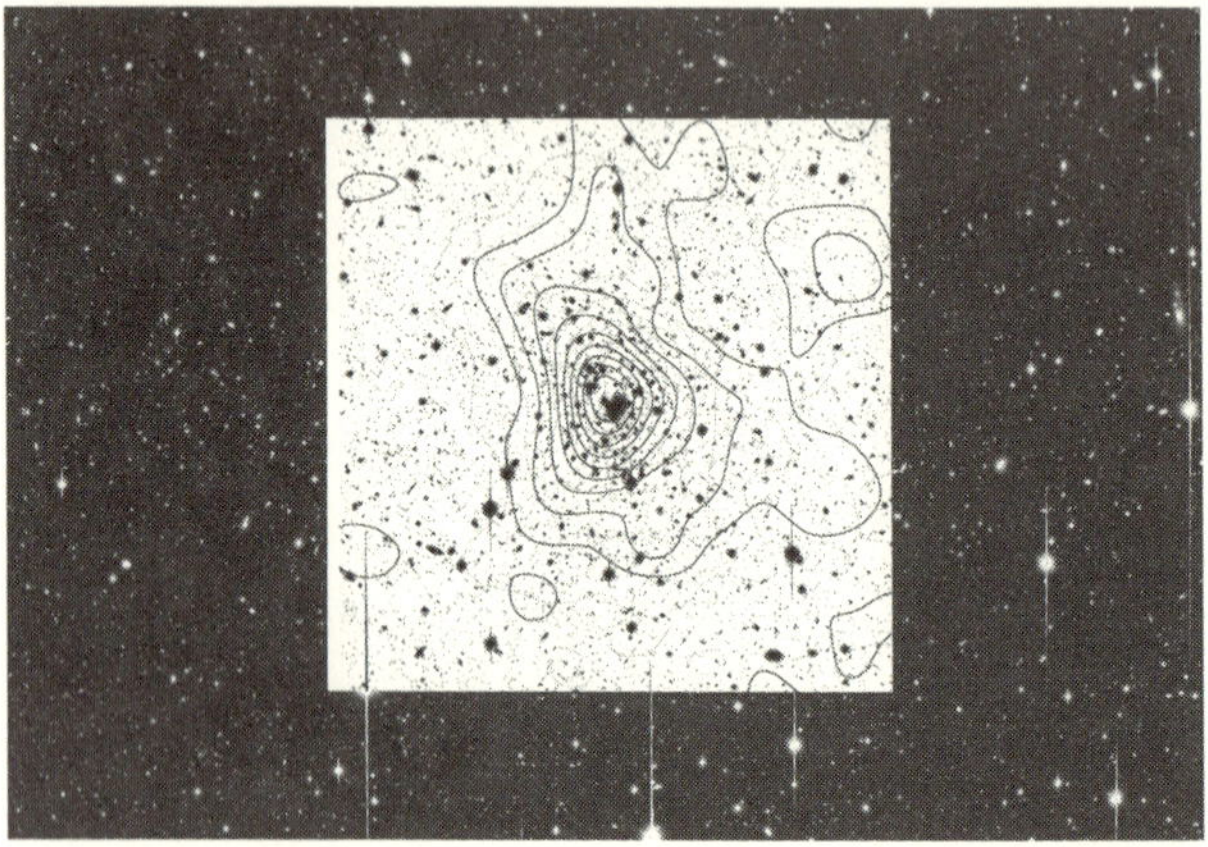

高田昌広氏提供

私たちのＩＰＭＵでも、高田昌広さんがその「地図づくり」に取り組んでいます。重力の大きさを「山の標高」になぞらえて、宇宙空間に「等高線」を書き込んでいく作業が、かなり進んできました。それを見ると、いかに宇宙が「暗黒物質だらけ」であるかということが、よくわかります。望遠鏡による観察が、「見えない物質」を「見える」ものにしてくれているわけです。

遠くの宇宙を見るとは昔の宇宙を見ること

では、私たちは望遠鏡でどこまで宇宙を「見る」ことができるのでしょうか。望遠鏡を巨大化し、その性能を上げていけば、どんどん膨張している宇宙の「果て」まで見ることができるのでしょうか。

残念ながら、答えはノーです。しかも、それは技術的な限界ではありません。どんなに科学技術が進歩しても、宇宙には望遠鏡という「目」を遮《さえぎ》る分厚い壁があり、そこから先は見ることができないのです。

人工衛星に搭載されたハッブル宇宙望遠鏡は、宇宙にあるので空気のゆらぎに影響されませんし、いくらでもじっと静止していられるので、時間をかければどんなに弱い光でもキャッチすることができます。しかし、ハッブル宇宙望遠鏡でも、見ることができるのは130億光年先にある銀河まで。そこから先は見えません。

では、どうしてその銀河より遠くは見えないのでしょうか。

ここで考えなければいけないのは、宇宙で「遠くを見る」のが、「昔の光を見る」のと同じだということです。前にもお話ししたように、私たちが見ている月は1・3秒前の月であり、そこにある太陽は8・3分前の太陽です。お隣のアンドロメダ銀河は230万年前の姿ですから、いま現在も本当に「お隣」にあるかどうかわかりません。たぶん引っ越してはいないと思いますが（笑）。

ともかく、地球からの距離が遠ければ遠いほど、私たちは時間を逆行して「昔の宇宙」を見ていることになります。望遠鏡では見えない領域があるのは、それが「遠い」からではありません。そこが「古い時代の宇宙」だから見えないのです。

最新の研究成果によれば、宇宙の誕生はいまから137億年前と考えられています。そして、誕生してから2億年間の宇宙は、まだ星ができていない時代でした。そこにあったのは、バラバラの原子と暗黒物質だけ。したがって、そこには「光」というものが一切ありません。

言うまでもないことですが、「見る」とは「光をキャッチする」ということです。いくら性能のいい望遠鏡を向けても、光を発していない「暗黒時代」の宇宙からは、何の情報も得られないわけです。

光も電波も届かない、宇宙誕生後38万年の厚い壁

とはいえ、暗黒時代を「見る」方法がないわけではありません。

可視光線は出ていなくても、そこに水素原子があれば、電波は出ます。その電波をキャッチすれば、いまつくっている「暗黒物質マップ」のように、どこにどれだけの原子があったかを調べることができるでしょう。まだ計画段階の話ですが、いずれは暗黒時代の宇宙が「見える」ときが来るに違いありません。

しかし残念ながら、その「見える」にも限界があります。その方法で見ることができるのは、宇宙誕生後38万年あたりまでです。なぜなら、それより昔の宇宙はあまりにも熱いため、原子が原子の状態を保てず、原子核と電子にバラバラになってしまうからです。

ある空間が「熱い」状態のとき、そこにはエネルギーが充満しています。逆に言うと、エネルギーが高ければ高いほど熱くなるんですね。たとえば、私たちが「寒い」と感じる日は、空気中の原子がゆっくり動いています。「暑い」と感じるときは、運動エネルギーが高まっているので、原子がビュンビュン動いています。

そして、誕生から間もない時代の宇宙は、「暑い」などというものではありませんでした。凄まじい高エネルギー状態の中をさまざまな粒子が激しく飛び交う、「火の玉」のような時代です。ゆっくりと落ち着いて原子を構成できるような状態ではありません。だから、原子核と電子がバラバラの状態で存在していたわけです。

くっついて原子になった場合、原子核は電荷がプラス、電子はマイナスですから、相殺《そうさい》されて電気的には中性になります。しかし原子核と電子がバラバラだと、それぞれに電気を持っている。そういう粒子が飛び交っている空間では、光や電波などの電磁波は真っ直ぐに飛ぶことができません。電気を持つ粒子にぶつかってしまうからです。ちょうど霧の中では霧の粒子に反射して光が通らないようなものです。

これが、宇宙誕生後38万年にある分厚い「壁」です。それより向こうからは、光も電波も届きません。どんなに頑張っても観察することができないのです。

400年前のガリレオ以来、人類は望遠鏡の性能を高めることで、宇宙のより遠くを見よう

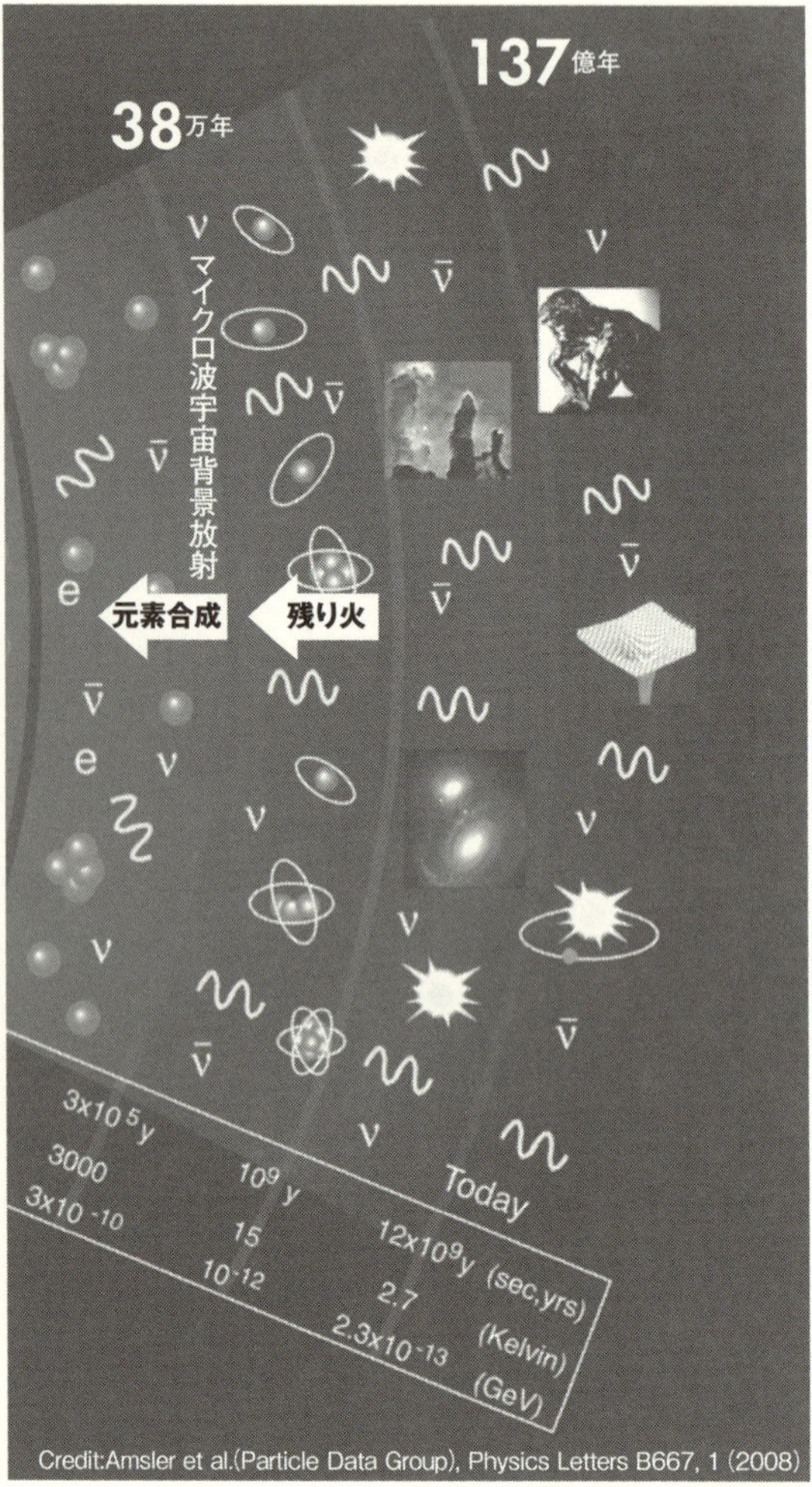

Credit:Amsler et al.(Particle Data Group), Physics Letters B667, 1 (2008)

[図11] 宇宙の歴史

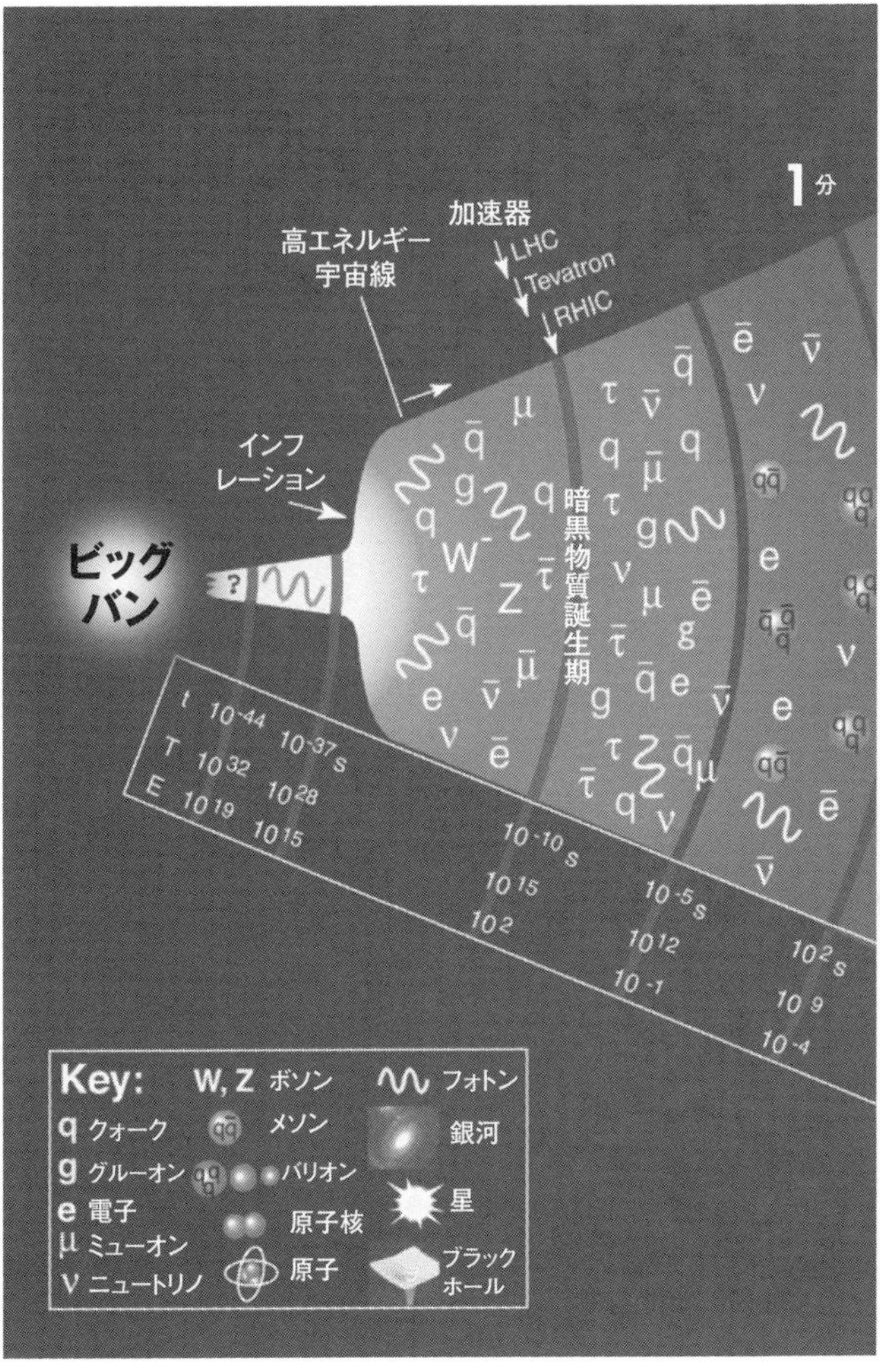
1分
加速器
LHC
Tevatron
RHIC
高エネルギー
宇宙線
インフレーション
ビッグバン
暗黒物質誕生期
t 10-44 10-37 s
T 1032 1028
E 1019 1015
10-10 s
1015
102
10-5 s
1012
10-1
102 s
109
10-4
Key:
W, Z ボソン
フォトン
q クォーク
メソン
銀河
g グルーオン
バリオン
e 電子
星
原子核
μ ミューオン
ν ニュートリノ
原子
ブラックホール

としてきました。「ウロボロスの蛇」でいえば、胴体の真ん中あたりから、頭の先を見ようとしていたようなものでしょう。

しかし、蛇の喉あたりまでは見えたものの、そこには乗り越えられない壁があって、頭や口がどうなっているのかは見ることができません。宇宙という「蛇」の全容を知りたいのに、あと一歩のところで行く手を阻まれてしまったわけです。

物質の根源を調べることで宇宙の始まりに迫る

でも、そこで万策尽きたわけではありません。

「ウロボロスの蛇」は、自分の尻尾を飲み込んでいます。ならば、別の方法で頭の中を見ることは可能でしょう。これまでは胴体から頭のほうを見ていましたが、こんどはくるりと方向転換して後ろを向き、尻尾のほうを見ればいいのです。その先には、望遠鏡では見えない蛇の頭が、大口を開けて待っているに違いありません。

ここでようやく、「素粒子物理学」の出番がやってきました。

宇宙の「壁」の向こうでは、さまざまな素粒子が高エネルギー状態で飛び交っているわけですが、これは地上の実験室で調べることができます。望遠鏡では見ることのできない宇宙初期の姿を探る――それが現代の素粒子物理学なのです。

もちろん、素粒子の研究が最初から「宇宙の起源」をテーマにしていたわけではありません。もともとは「物質の根源」を知ろうとするものでした。この世に存在するあらゆる物質には、何か共通の「素」があるはずだと考えたわけです。

たとえば古代ギリシャの哲学者タレスは、「万物は水でできている」と考えました。紀元前6世紀頃のことです。また、およそ200年後に登場したアリストテレスは、すべての物質が「土・水・空気・火」という4つの元素の組み合わせでできていると主張しました。師匠のプラトンは「イデア」こそが真の実在だという観念的な説を唱えていましたから、同じ哲学者でも、考えることはずいぶん違ったんですね。

そんな中で、現代の素粒子物理学につながる考え方を最初に示したのは、アリストテレスよりも少し前に活躍した哲学者デモクリトスでした。あらゆる物質がたった1種類の「粒子」からできていると考え、それを「原子（atomon）」と名付けたのです。

のちに「アトム」の語源となった「atomon」とは、「それ以上は分割できない」という意味です。タレスやアリストテレスが自分の知っているものを「物質の根源」と考えたのとは違い、デモクリトスは目に見えないものを想定しました。素粒子物理学者はしばしば未知の粒子の存在を予言しますが、この分野で最初の「予言者」はデモクリトスだったと言えるでしょう。

しかし、デモクリトスの予言した「原子」を人類が目で見てたしかめるまでには、大変な時間がかかりました。そもそも、当初はあまり注目されることのなかったデモクリトスの「原子論」が再び脚光を浴びたのは、17世紀のことです。それだけで、およそ2000年かかっています。

当時のヨーロッパでは錬金術が盛んでしたが、その中で、金や銀など、ほかの物質からはどうしても合成できない物質があることがわかりました。それを「元素」と名付けたのが、ロバート・ボイル（ボイル＝シャルルの法則で有名な人）です。彼は、種類の異なる元素は、それぞれ種類の異なる原子でできていると考えました。

そして19世紀の初頭、ジョン・ドルトンが、元素はそれぞれ違った質量を持つ原子から成り、異なる原子が結合して分子をつくるという説を唱えました。なにしろ見えない世界の話なので、当時はそれを疑う意見もあったようです。いまでは誰もが当たり前だと思っていますが、かなり斬新でショッキングな新説だったに違いありません。

その後、原子にも原子核と電子という構造があり、原子核は陽子と中性子からできていて、その陽子や中性子もバラバラにするとクォークになる……という具合に「物質の根源」を求める研究が発展してきました。その研究が「宇宙の起源」と結びついたのは、やはりビッグバン宇宙論が登場してからだと考えていいでしょう。

たとえば、「天上と地上の物質」を万有引力の法則で統合したニュートンも、「原子と原子を結びつける力は何か」というテーマに取り組んではいました。でも、「物質の素」と「宇宙の始まり」を関連づけて考えてはいません。ニュートンの時代は「定常宇宙論」（宇宙は今も昔も変わらないという考え方）が常識だったからです。

電子の波をぶつけて極小の世界を観測する

そんなわけで、宇宙が昔は「小さくて熱かった」ことがわかって初めて、素粒子研究は「ウロボロスの蛇の尻尾」になりました。

では、その「尻尾」の世界を見るにはどうしたらいいのでしょうか。

「極大」の宇宙を果ての果てまで見ることはできませんが、「極小」の世界も観察が難しいことに変わりはありません。遠くの星は望遠鏡が見せてくれましたが、こちらは高性能の顕微鏡が必要です。

たとえば、いまは原子の姿を顕微鏡で見ることができますが、その大きさは10^{-10}メートル。1センチメートルの1億分の1（＝1オングストローム）です。そう言われても、どれほど小さいのかピンと来ないかもしれません。1オングストロームの原子1個をリンゴの大きさまで拡大した場合、その倍率は、リンゴを月の軌道の大きさに拡大するのと同じだと言えば、その大きさが何となくイメージできるでしょうか。

そこまで小さい物質を見るには、顕微鏡の解像度を上げるしかありません。そして、解像度を上げるには、できるかぎり「波長」の短いものを使う必要があります。

その仕組みは、FMラジオとAMラジオの違いを例に考えるとわかりやすいでしょう。車の運転中にラジオを聴いていると、FMは建物の陰に入ったときに電波が途絶えることがありますが、AMではそういうことがありません。これは、FMのほうがAMよりも波長が短い（周波数が高い）からです。

FMラジオの周波数を90メガヘルツ（NHK-FMは82・5メガヘルツですね）とすると、その波長は約3メートル。一方、およそ1000キロヘルツのAMは、波長が約300メートルです。

この電波が幅10メートル程度の建物に出会うと、どうなるか。

波長3メートルのFM電波は建物より短いので、そこに衝突します。しかしAM電波は建物より波長が長いので、それを回り込んで向こう側まで抜けていきます。別の言い方をすると、FMの電波は建物の存在に「気づき」、AMの電波はそこに建物があることに「気づかない」。障害物に気づいたFMの電波は、建物を「見た」ということです。

ラジオの「音」を伝える電波が「物を見た」というのもおかしな話ですが、望遠鏡や顕微鏡などを使って何かを観察するとは、何らかの「波」を対象にぶつけて「見る」ことにほかなりません。そして、その解像度は、ぶつけた波の波長で決まります。原子を見るには、それにぶつかるほど短い波長が必要なのです。

しかし可視光線の波長では、そこまで小さなものを見ることができません。そこで光学顕微鏡に代わって登場したのが、電子顕微鏡です。光の波が気づかずに回り込んでしまう大きさの対象物でも、電子の波なら、それに「気づいて」くれるのです。

光は波なのか粒子なのか――量子力学の始まり

ここでまた、みなさんの頭の上には大きな「？」が浮かんでいることでしょう。ラジオの電波や可視光線など（総称して「電磁波」と言います）に波長があるのはわかりますが、「電子」という粒子にそんなものがあるとは思えません。

でも、それがあるんですね。

あらゆる「粒子」は「波」のように振る舞い、あらゆる「波」は「粒子」のように振る舞う――ほとんど禅問答にしか聞こえないかもしれませんが、物理学はもう100年も前にそんなことを言い始めました。それが「量子力学」の始まりです。話は顕微鏡からやや脱線しますが、それについて簡単に説明しておきましょう。

この新しい力学が生まれたきっかけは、波だとばかり思っていた「光」が「粒子」のように振る舞うとわかったことです。

19世紀末のドイツでは、製鉄の効率を上げるために、溶鉱炉の温度を正確に測定する研究が行われていました。ところが、そこで不思議なことがわかります。溶鉱炉から出る光の強さが、温度によって連続的に変化せず、「とびとびの値」になるのです。

熱せられた水の温度上昇や、アクセルを踏んだ車の加速を考えればわかるとおり、物理量は連続的に変化するのが常識です。水の温度が50度から一気に53度に飛んだり、車のスピードが時速95キロメートルから100キロメートルに飛ぶこともありません。

しかし光のエネルギーに関しては、そういうことが起きていました。その現象を説明するために、ドイツの物理学者プランクが発表したのが「量子仮説」です。

その仮説によれば、光のエネルギーは、あるとても小さな係数（プランク定数）と光の振動数（波長の逆数）の積の整数倍の値にしかなりません。したがって、その値は連続的に変化せず、「とびとびの値」になります。「量子」とは、こういう「とびとびの量」を意味する概念だと理解しておけばいいでしょう。この発見がのちの量子力学につながったので、プランクは「量子論の父」と呼ばれています。

「とびとび」の幅はきわめて小さいので、変化の様子をマクロのスケールでグラフを描けば、連続的な直線にしか見えません。しかしそれを拡大してミクロのスケールで見ると、実は階段状に変化しているのがわかります。ミクロの世界では、マクロの世界とは違う奇妙な物理法則がある——というより、これまでマクロの世界を支配していると考えられた法則は、ミクロの世界を支配する法則（＝量子力学）から見れば「近似値」にすぎなかったわけです。

それまで「波」だと思われていた光を「粒子」と見なす考え方は、この「量子仮説」を踏まえて生まれました。その理論を「光量子仮説」と言います。１９０５年にそれを発表したのは、あのアインシュタインです。彼は、「光はエネルギーを持つ粒子の集まりだ」と考えることで、「光電効果」という現象の謎解きをしました。

光電効果とは、振動数の大きい光をある金属に当てると、そこから電子が飛び出す現象です。詳しい説明は省きますが、光が「波」だとすると、この現象は説明がつきません。しかし光が「粒子」ならば、それが電子を弾き飛ばすのだと考えることができます。

アインシュタインと言えば「相対性理論」なので、意外に思う人が多いでしょうが、彼はおもにこの研究が評価されて、１９２１年にノーベル賞を受賞しました。ヒントを与えたプランクも、その3年前に「量子仮説」でノーベル賞を与えられています。

原子核のまわりを回る電子は波だった！

なかなか顕微鏡の話になりませんが、もう少しだけ我慢してください。

ここで、話は「光」から「電子」に転じます。波だと思っていた光が「粒子」の性質を持つなら、粒子だと思っていた電子に「波」の性質があってもいいはずだ——プランクやアインシュタインの発見を受けて、こんなことを考えた人がいました。フランスのド・ブロイという物理学者です。

彼がそんなことを思いついたのは、ある問題に対する答えを求めていたからでした。簡単に言うと、それは「電子はなぜ原子核の周囲を回っていられるのか」という問題です。

原子核にはプラスの電荷があり、電子にはマイナスの電荷があります。当時の物理学に基づけば、電子が円運動をすれば、電磁波を放ってエネルギーを失い、電磁気力で原子核に吸い寄せられるはずでした。だとすると、原子は安定した構造を維持できず、すぐに壊れてしまいます。

しかし、実際はそうなっていません。電子はいつまでも原子核の周囲を回転しています。原子の構造がわかって以来、これは最大の難問でした。

そこで最初に奇抜なアイデアを発表したのは、「前期量子論」の分野で大きな役割を果たしたデンマークの物理学者、ボーアです。彼は、こう考えました。原子核の周囲には、電車のレールのようにいくつか決まった軌道があって、電子はその上を回転しているあいだはエネルギーを失わない。その軌道の大きさは、プランク定数を含む値の整数倍、つまり「とびとびの値」になっている、というのです。

このボーアの思いつきに理論的な根拠を与えたのが、ド・ブロイでした。電子を「粒子」ではなく「波」だと考えれば、ボーアの仮説がうまく説明できるのです。

電子が波だとすると、その円運動の様子もイメージがガラリと変わります。粒子がぐるぐると飛び回っているのではなく、原子核の周囲をぐるりと囲んだ波が、うねうねと揺れ動いているような感じですね。この波が同じ状態で安定して回り続けるには、軌道の長さが「波長」の整数倍でなければなりません。そうでなければ、1周した波の「山」と「谷」がぴったり重ならず、干渉によって波動が消えてしまうからです。

だとすると、電子の軌道の長さは、ボーアの言うとおり「とびとびの値」になるでしょう。原子核の周囲には、波長の整数倍の長さを持つ軌道がいくつかある。そこを回っていれば電子はエネルギーを失わず、したがって原子核に吸い寄せられることもないのです。

ド・ブロイによれば、「波」の性質を持っているのは電子だけではありません。あらゆる粒子にはそれがあります。ド・ブロイはそれを「物質波」と呼びました。あらゆる粒子が波だということは、すべての物質が（もちろん私たち自身も）波だということです。

原子の中の電子の波長は1億分の1センチメートル程度ですから、当然、マクロの世界に住む私たちにはそれを実感することができません。しかし1927年、アメリカの物理学者デヴイッソンと、イギリスの物理学者G・P・トムソンが、それぞれ、電子が波の性質を持つことを示す実験に成功しました。

また、日立製作所の外村《とのむら》彰氏が1989年に行った二重スリット実験では、電子の波動性を示す「干渉縞」が非常に美しく現れ、世界的に注目されました。

二重スリット実験ではスリットが2つあいた壁の向こうにスクリーンを置き、壁に向かって電子ビームを撃ち込みます。その電子を、スクリーンで受け止める。撃ち込んだ方向から電子の「着弾点」が予測できそうですが、そうはなりません。電子はあちらこちらに着弾し、それは一見すると完全にランダムな結果に思えます。

ところが、たくさんの電子を撃ち込んでからその痕跡を見ると、あるパターンが現れます。波に特有の「干渉縞」です。水面に石を2つ落とすと、2つの波が重なったところに縞模様ができますよね？　それと同じものを、電子がつくっていたのです。

電子の波長を短くして解像度を上げる電子顕微鏡

これでやっと、電子が「波」であることの説明が終わりました。かなり遠回りしましたが、その性質を利用したのが電子顕微鏡、というわけです。

ただし、原子の中の電子の波長はおよそ1億分の1センチメートル＝10^{-10}メートルですから、

[図12] **二重スリット実験**

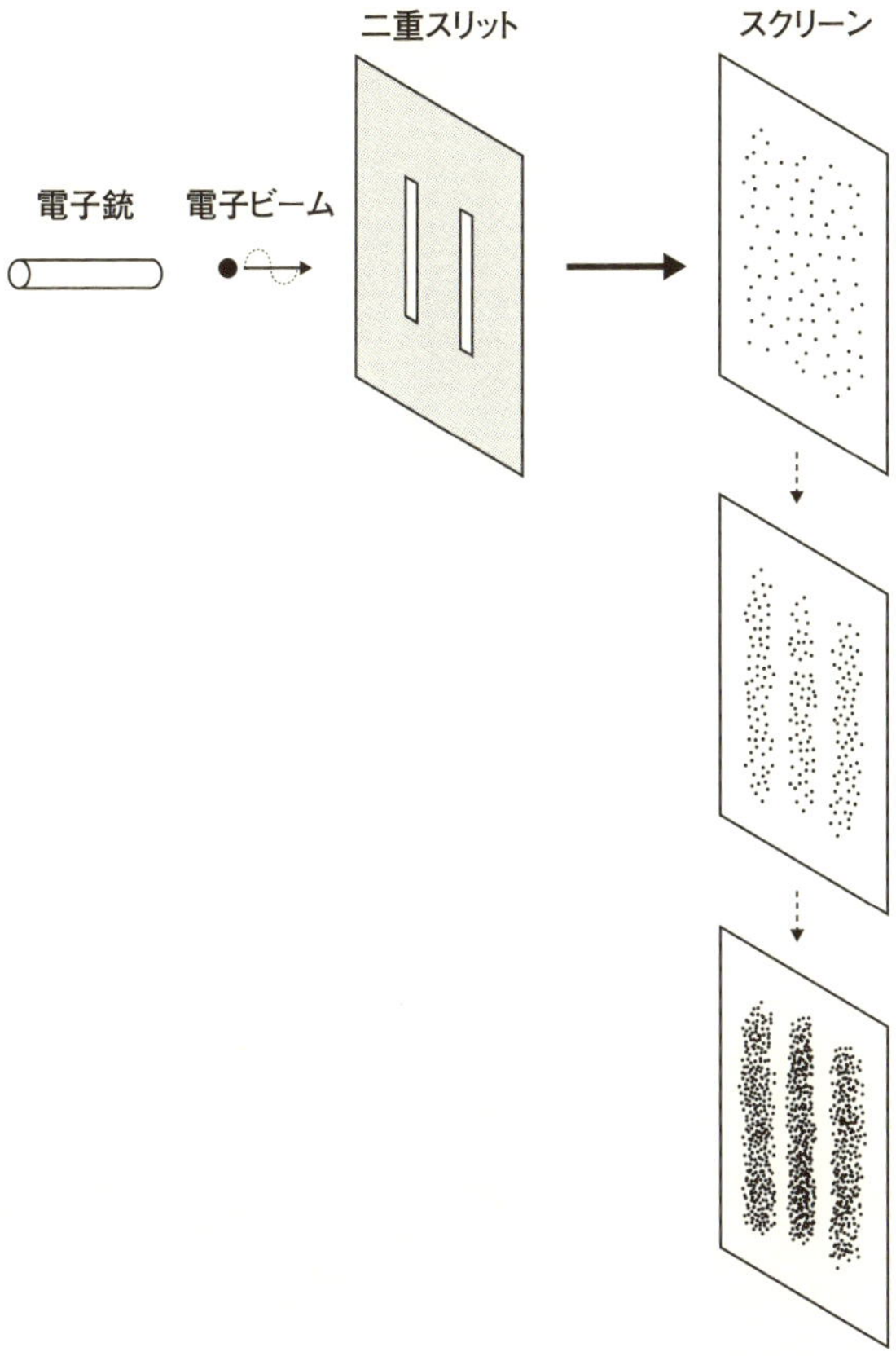

原子の大きさとほぼ同じです。ＦＭラジオの電波が建物に「気づく」のと同じように、電子の波が原子の存在に気づくには、波長をもっと短くしなければなりません。

波長は振動数の逆数ですから、振動数を上げるほど短くなります。では、波の振動数を上げるにはどうすればいいでしょうか。

答えは「エネルギーを高める」です。電子の運動エネルギーを高めれば高めるほど振動数が上がり、その波長は短くなる。電子を加速することでエネルギーを高め、観察する対象にぶつけるのが、電子顕微鏡の仕組みなのです。

たとえばアメリカのバークレー国立研究所にある電子顕微鏡が電子にかける電圧は、30万ボルト。『ポケットモンスター』のピカチュウ君が備えている攻撃力の3倍ですから、相当なエネルギーですね。

これほどエネルギーを加えて加速すると、電子の波長は原子の20分の1程度まで短くなります。そのため、原子を回り込んで向こうに抜けることはありません。

原子にぶつかった電子はあちこちに弾き飛ばされますが、その方向や距離は衝突した相手の形で決まります。ですから、電子の弾き飛ばされ方を調べれば、観察対象の形がわかる（＝見える）わけです。

[図13] 世界最大の衝突型円形加速器

加速器で誕生直後の宇宙の状態をつくりだす

同じくこの原理でつくられたのが加速器です。素粒子物理学の実験で使用する巨大な設備のことで、最近では、CERN（欧州原子核研究機構）が開発した世界最大の衝突型円形加速器「LHC」(Large Hadron Collider) がよく知られるようになりました。トム・ハンクス主演の映画『天使と悪魔』で「反物質」をつくった（それが盗み出されてバチカンが大騒ぎになった）ことになっているのも、このLHCです。

加速器にはさまざまな種類がありますが、その基本的な仕組みは電子顕微鏡と変わりません。たとえばLHCの場合、1周27キロメートル（ちなみに山手線は1周34・5キロメートル）もある加速器の中で、陽子に7兆ボルトという凄まじい電圧をかけ、山手線の「内回り」と「外回り」のように逆方向に走らせます。山手線と違うのは、その両者が途中で衝突すること。高エネルギーで波長を短くした粒子と粒子をぶつけて、そこで起きることを観察するわけです。

先ほど、誕生直後の宇宙は、電子や陽子、中性子がバラバラの状態で飛び交う、高エネルギー状態だったとお話ししました。粒子に高エネルギーを加えて衝突させる加速器は、創成期の宇宙の状態を再現する機械とも言えます。

加速器の進化によって、私たちは、望遠鏡で見ることができない暗黒時代の壁の向こうを、まさにウロボロスの蛇の尻尾の側から見ることができるようになったのです。

私たちの体は超新星爆発の星くずでできている

こうした道具の進歩によって、まず原子には多くの種類（元素）があることがわかりました。理科の授業で、元素の周期表を「水兵リーベ僕の船……」という語呂合わせで暗記したことを思い出す人も多いでしょう。新しい元素は次々に発見されていますから、現在は、みなさんが学生時代に見た周期表にはなかったものもあります。数年前には、ロシアで118番目の元素が見つかりました。

とはいえ、自然界に存在する元素のなかでいちばん大きいのは、原子番号92のウランです。

それよりも重い新しい元素は、加速器や原子炉の中で無理やりつくり出したもので、すぐに壊れてしまいます。

しかし、原子番号1から92までの元素が、最初からすべて自然界（宇宙）に存在したわけではありません。そもそもビッグバンによって宇宙が誕生した瞬間は、原子自体が存在しませんでした。熱い宇宙では運動エネルギーが高いため、あらゆる粒子がバラバラに飛び交っていました。

陽子と中性子がくっついて原子核をつくり、その周囲を電子が回るようになったのは、宇宙が膨張するにつれて温度が下がり、粒子の動きが遅くなってからのことです。ただし、最初にできたのは軽い元素だけでした。加速器による実験によって、宇宙誕生から1分後には原子番号1から3までの元素（水素、ヘリウム、リチウム）ができていたことがわかっています。

では、私たちが生きるのに不可欠な酸素や炭素はいつできたのでしょうか。

それは、宇宙に「星」が誕生し、その内部で核融合反応が始まってからのことです。太陽の内部で核融合が起きていることは、みなさんもご存じでしょう。もちろん、ほかの恒星でも同じことが起きていますが、ここでは太陽を例にとって説明します。

太陽の内部では、水素が核融合反応を起こしてヘリウムに変換され、膨大なエネルギーを生み出しています。しかし水素の量は無限ではありません。45億年ほど先のことだと予測されていますが、水素を使い果たした太陽は、やむを得ず、すでにできているヘリウムを燃やし始めます。

ちなみに、このとき太陽は地球を飲み込むほどの大きさまで膨張するはずですが、もしかしたら、その前に天の川銀河がアンドロメダ銀河と衝突しているかもしれません。どちらが先かは、かなり微妙な勝負です。

それはともかく、こうして恒星の内部でヘリウムの核融合反応が起きたときに、ようやく炭素や酸素などの原子がつくられます。おそらく、鉄（原子番号26）ぐらいまでの元素が、こうしてつくられたのでしょう。

でも、これらの元素は恒星の内部でつくられるものですから、それだけでは地球のような惑星に炭素や酸素などが存在することが説明できません。恒星の中から、それを宇宙空間にバラまいてもらう必要があります。

もちろん星の中に花咲《はなさか》じいさんのような人はいないので、内部の元素をバラまくには、星そのものが爆発するしかありません。「超新星爆発」がそれです。寿命を迎えた星が爆発し、それによってバラまかれた物質を材料にして、また次の星が生まれる——宇宙ではそんなことが繰り返されてきました。その結果、地球にもさまざまな元素があるわけです。超新星爆発がなければ、私たちの体をつくる炭素も地球には存在しなかったでしょう。つまり、私たちの体は

「星くず」でできているのです。

鉄より重い銅、銀、金、鉛などの元素がどこでつくられたのかは、まだよくわかっていませ
ん。わかっているのは、星の内部での反応ではできないということだけです。いまのところ、
おそらく超新星爆発で発生したガスが周辺の中性子などを大量に吸うことで、原子がブクブク
と大きくなったのだろう——というのが通説ですが、本当のところは今後の研究を待たなけれ
ばなりません。

原子が土星型であることを明らかにしたラザフォード実験

ところで、古代ギリシャのデモクリトスは万物の「素」となる粒子を「atomon」と呼びました
が、「原子（アトム）」は素粒子ではありませんでした。でも、これはデモクリトスの予言が外れたわけではありません。原子を「これ以上は分割できないもの」と考えて「アトム」と名付けた人の勇み足だと言ったほうがいいでしょう。

原子が究極の素粒子ではないことは、電子や原子核の発見で明らかになりました。では、原子の内部構造は、どのようにして「見る」ことができたのでしょうか。

原子の中にマイナスの電荷を持つ電子があることは、19世紀の終わり頃にわかっていました。しかし原子全体は電気的に中性なので、その内部にはプラスの電荷を持つ部分があるはずです。

［図14］ラザフォード実験

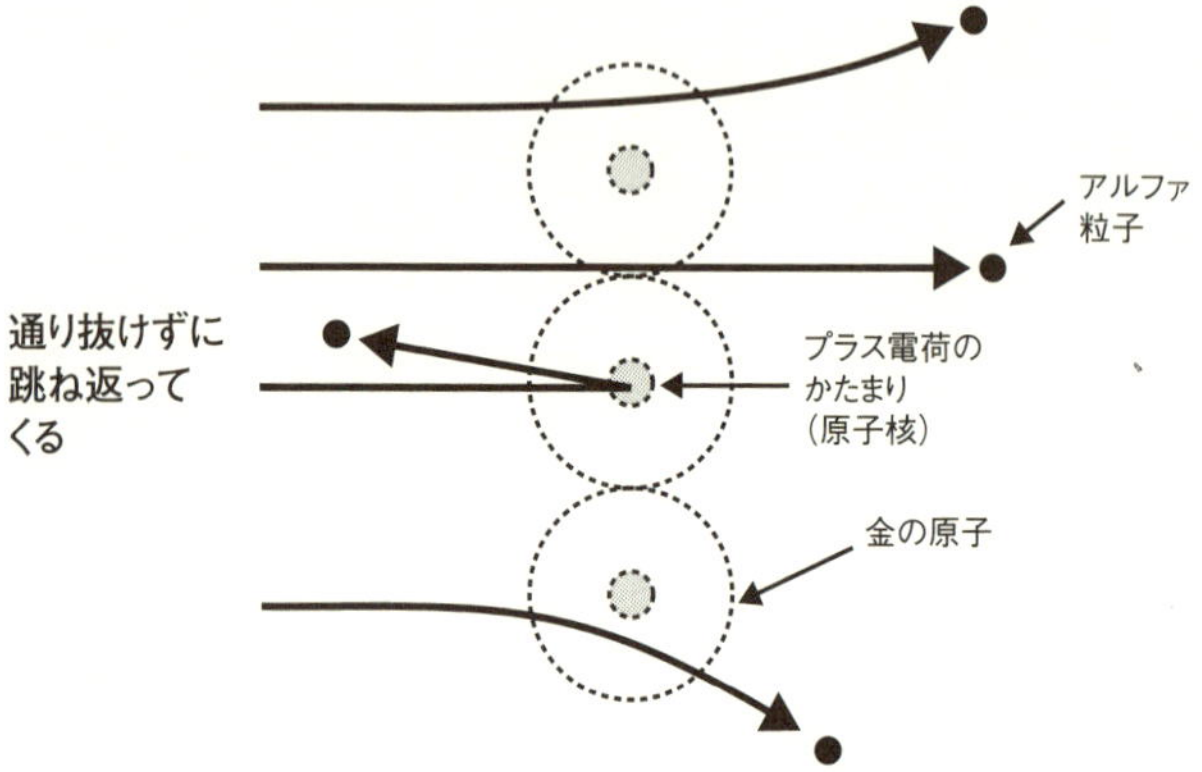

そこで、原子の構造について2つのモデルが提案されました。「スイカ型」と「土星型」です。前者は、原子内部に電子が点在しているイメージ。後者は、プラスの電荷を持つ粒子の周囲を、電子が回っているイメージです。

20世紀の初頭、イギリスの物理学者ラザフォードが、それを調べるための有名な実験を行いました。金箔に向かって、プラスの電荷を持つアルファ粒子を撃ち込む実験です。ラザフォードは「スイカ型」を予想していたので、撃ち込んだアルファ粒子が金箔をスルスルと通り抜けるだろうと思っていました。スイカ型の場合、原子内部ではプラスの電荷が薄く広く分布しているので、その影響をほとんど受けないからです。

実際、撃ち込んだアルファ粒子の多くが金

箔を通り抜けました。でも、すべてではありません。たまに、跳ね返ってくるものがあるのです。

「ティッシュペーパーに弾丸を撃ち込んだら、跳ね返ってきた」

ラザフォードは、そのときの驚きをそんなふうに表現しました。

アルファ粒子が跳ね返るのは、電気の反発力によるものです。そこにプラスの電荷を持つかたまりがあるから、同じプラス電荷の粒子が跳ね返る。そして、多くの粒子が向こう側に通り抜けるのは、そのかたまりの周囲がスカスカな状態であることを意味しています。

こうして、原子は中央にプラス電荷の原子核があり、マイナス電荷の電子がその周囲を回っていることがわかりました。前にもお話ししたとおり、原子核と電子はかなり離れています。原子全体が野球場だとすると、原子核は野球のボールぐらいの大きさしかありません。それだけの隙間があるのですから、アルファ粒子が通り抜けるのも当然です。

これ以上は分割できない素粒子、クォーク

原子核が発見されて以降も、「素粒子」を探る研究は続きました。さらに解像度を上げて観察した結果、１００種類以上もある原子が、実はすべて陽子・中性子・電子の3種類でできていることがわかったのです。

電子についてはいまのところ「これ以上は分割できない」と考えられていますが、さらに解像度を上げて調べたところ、陽子と中性子はもっとバラバラにできることがわかりました。それが、「クォーク」という素粒子です。

原子、原子核、陽子、中性子までは日本語の訳語がありますが、クォークはクォークとしか呼びようがありません。これは、発見した物理学者が、ジェイムズ・ジョイスの『フィネガンズ・ウェイク』という小説から取った言葉です。しかもそれは「鳥の鳴き声」ですから、翻訳しようがないのです。

クォークにもいくつかの種類があるのですが、それについてはのちほどお話ししましょう。現時点ではこのクォークが「これ以上は分割できない素粒子」だと考えられています。

しかし、原子もそうだったように、複数の「種類」があるということは、そこにもまだ内部構造がある（つまり分割できる）かもしれません。「顕微鏡＝加速器」のエネルギーをもっと高めて解像度を上げる、すなわち波長を短くして見ることができるようになれば、ウロボロスの蛇の「尻尾」がさらに細長く伸びる可能性があるのです。

「標準模型」は20世紀物理学の金字塔

これまでの話からもわかるように、いまから１００年ほど前の20世紀初頭に、物理学は大き

[図15] **原子の構造**

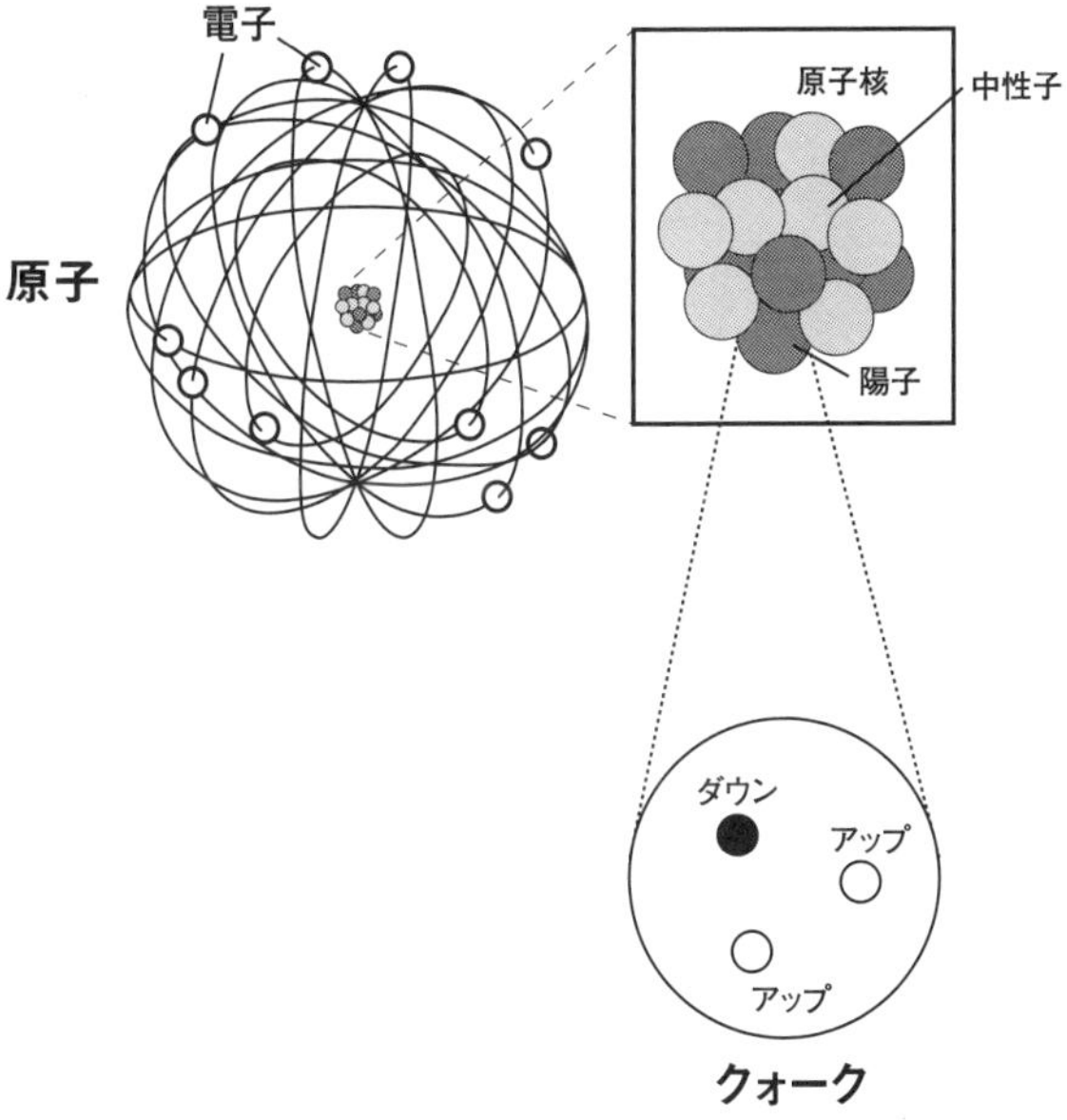
電子
原子
原子核
中性子
陽子
ダウン
アップ
アップ
クォーク

な転換期を迎えました。原子の構造がわかっただけではありません。光が「粒子」だとわかったのも（そして粒子が「波」だとわかったのも）、相対性理論や量子力学が登場してニュートンの古典力学がひっくり返ったのも、その時期のことです。

それ以降、「素粒子から宇宙まで」という大きなフィールドの中で、現代物理学は多くのことを解明してきました。もちろん医学、生物学、化学などの分野も大いに発展しましたが、こと自然科学に関するかぎり、20世紀は「物理学の世紀」だったと言っても過言ではありません。

その20世紀物理学が到達した高みが、「標準模型」と呼ばれるものです。

詳しくはこれから少しずつ説明していきますが、とりあえずは、素粒子物理学の2大テーマ――物質が何からできていて、それはどんな基本法則に支配されているのか――に対する現時点での答えが、この標準模型だと思っていただければいいでしょう。これぞまさに「20世紀物理学の金字塔」と呼べる成果だと思います。

第1世代のクォーク、「アップ」と「ダウン」

物質が「何からできているか」については、ここまでも少しお話ししてきました。しかし、それは本当に「少し」にすぎません。原子をバラバラにすると「電子」と「クォーク」になるわけですが、素粒子はそれ以外にもたくさんあるのです。

[図16]素粒子の標準模型

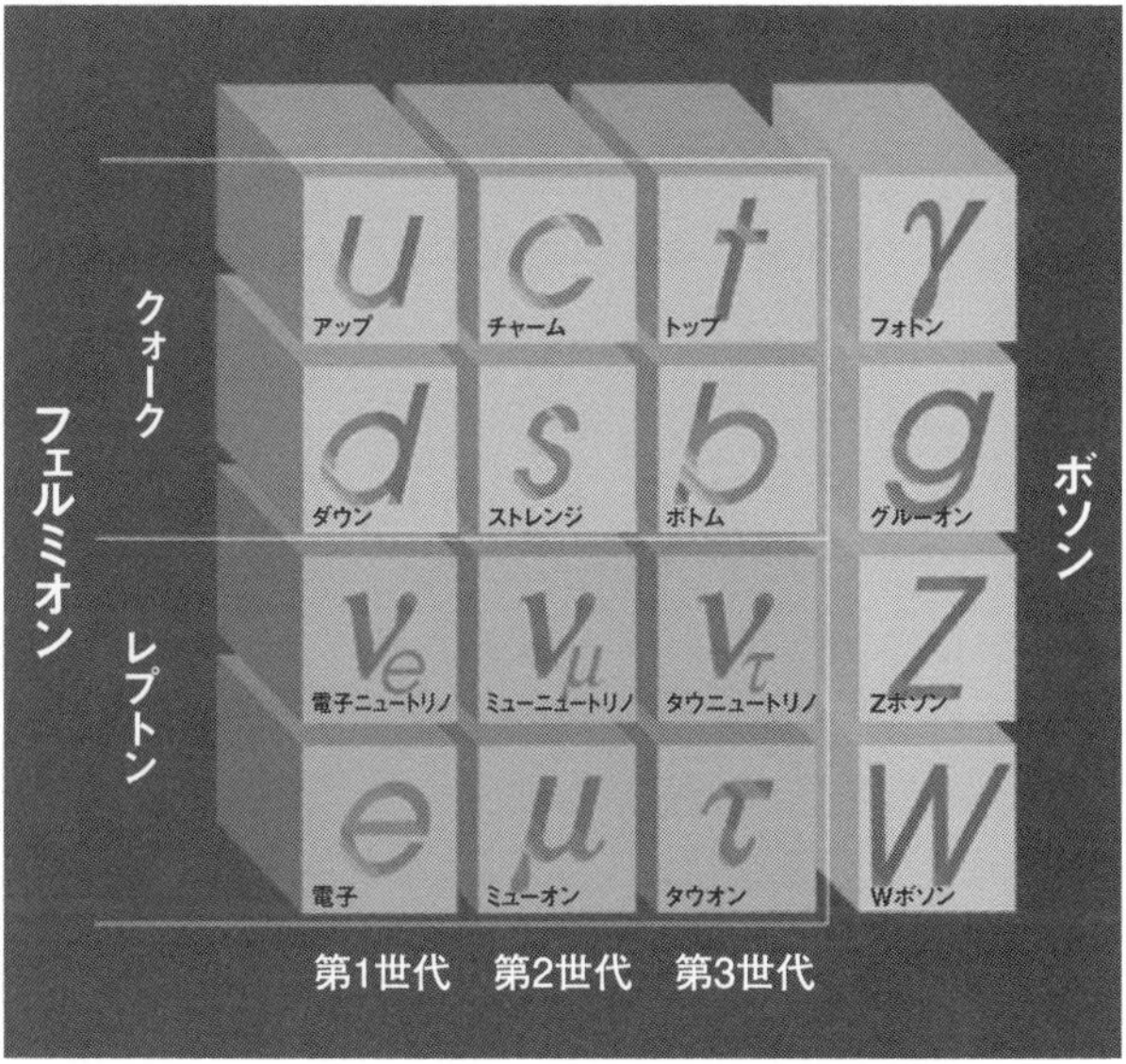

Courtesy Fermilab Visual Media Services

まず、地球に現在存在する原子の陽子や中性子などを構成するクォークには「アップクォーク」と「ダウンクォーク」の2種類があります。構造もわかっていて、陽子は「アップ」2つと「ダウン」1つ、中性子は「ダウン」2つと「アップ」1つ。それぞれの性質は後述しますが、まずは陽子も中性子も3つのクォークから成っていることだけ覚えておいてください。

ならば、この世は電子、アップクォーク、ダウンクォークという3種類の素粒子でできているのかと言えば、そう単純ではありません。原子はその3つでできていますが、宇宙には前に紹介したニュートリノ（正確には電子ニュートリノ）という素粒子もあります。

そして、電子ニュートリノを加えた4つの素粒子のことを、標準模型では「第1世代」と名付けました。「第1」と呼ぶからには、「第2」以降の世代もあるということですね。実は、結論から言ってしまうと、素粒子には3つの「世代」があるのです。

誰も探していないのに見つかってしまった謎の素粒子

第2世代以降の素粒子は宇宙の創成時に存在し、現在の地球には存在しません。しかしいずれも宇宙線の観測や実験によってその存在が確認されています。宇宙線とは宇宙空間を飛び交う高エネルギーの放射線のことで、地球にもたえず降り注いでいます。

第2世代で最初に見つかったのは、「ミューオン（ミュー粒子）」という素粒子でした。ただし、最初から「第2世代がある」という前提で、それを探していたわけではありません。そういう分類がなされたのは、のちの話です。そもそも誰も探していなかったのに見つかってしまったのが、ミューオンでした。

1937年にそれを発見したのは、アメリカのアンダーソンと学生のネダーマイヤーです。アンダーソンは「陽電子」（電子の反粒子＝後述）の発見者としてその前年にノーベル賞を受賞した物理学者ですが、彼は当初、宇宙から降ってくる宇宙線の中から発見した未知の粒子を「中間子」だと考えました。

中間子とは、湯川秀樹博士が存在を理論的に予言した粒子です。その理論は、「なぜ原子核はバラバラにならないのか」という問題に答えるものでした。陽子同士は電気的に反発するので、何らかの別の「力」が働いていなければ、原子核はかたまりとして存在できないはずです。その「力」を媒介するものとして、湯川博士は未知の粒子を想定しました。原子核の内部では、陽子と中性子がその粒子をやりとりしており、その力によってくっついている——あえて簡単に言ってしまうと、それが湯川理論の骨子です。その未知の粒子は電子より重く、陽子や中性子よりは軽いと予想されるので、「中間子」と名付けられました。

アンダーソンが、新発見の粒子を「中間子」だと考えたのは、その質量が湯川理論の予言ときわめて近かったからです。しかしよく調べてみると、湯川理論の言う中間子とは性質が違いました。質量は電子の200倍あり、その点は湯川理論と一致しますが、それ以外の性質は電子とそっくりだったのです。どうしてそんな粒子が存在するのか、さっぱりわかりません。そのため、ラビというノーベル賞物理学者は「こんなものを誰が注文したんだ?」と怒ったと言います。

あるものはあるのですから怒られても困りますが、そんなミューオンも、私たちにとって無用の長物というわけではありません。話はやや脱線しますが、たとえばエジプトのピラミッド調査に、宇宙から大量に降り注ぐこの粒子が使われたことがあります。

昔から、ギザの大ピラミッドには秘宝の眠る「秘密の部屋」があるという噂が流れていました。しかし仮にあるとしても、外からは見えませんし、通路もないので誰も入ることができません。だからといって、ピラミッドを壊して中を見るわけにもいかない。そこで、中に空洞があるかどうか「非破壊検査」するために使われたのがミューオンです。

ミューオンは私たちの体を毎分約1000個も通り抜けていますが、ピラミッド内部にぎっしり石が詰まっていれば、そこで原子にぶつかって、いくらか数が減るでしょう。その減衰量は計算で予測できます。もし「秘密の部屋」なる空洞があれば、その減衰が起こりません。そして調査の結果は……残念ながら「秘密の部屋」は存在しませんでした。でも、物理学者の発見したミューオンが考古学で役に立ったのは事実です。

ちなみに現在は、このミューオンを使って火山を観察する研究が、東京大学で進んでいます。火山内部を通るミューオンの量を調べて、マグマの様子を探ろうというわけです。いわば火山をレントゲン検査しているようなものですね。まだあまり予算がつかないので小規模な研究しか行われていませんが、いずれはマグマの密度が変わるのを察知して、火山の爆発時期を予知できるようになるかもしれません。

それはともかく、ミューオンはのちに、中間子とまったく無関係ではないことがわかりました。湯川理論が予言した中間子（正確にはパイ中間子）が発見されると、それが崩壊してミューオンになることがわかったのです。

また、パイ中間子の崩壊時にはニュートリノも放出されますが、これは中性子のベータ崩壊時に電子といっしょに放出されるニュートリノとは別のものでした。そこで、この第2世代のニュートリノは「ミューニュートリノ」と名付けられ、第1世代の「電子ニュートリノ」と区別されたわけです。

クォークには3世代以上あると予言した小林・益川理論

こうして、「電子と電子ニュートリノ」というペアとは別に、より質量の大きい「ミューオンとミューニュートリノ」という世代があることがわかりました。

そして、こんどはクォークのほうでも同じような事態が起こります。宇宙線の中で、（質量が重いこと以外は）ダウンクォークと同じ性質を持つ新しいクォークが発見されたのです。これは「ストレンジクォーク」と名付けられました。

こうなると、本格的に「どうやら素粒子全体が世代を繰り返すようだ」という話になります。当然、アップクォークと同じ性質を持つ重いクォークも存在するだろうと思われました。

でも、それがなかなか見つかりません。加速器で新しい粒子をつくる場合、質量が重いほど高い電圧が必要なので、難しいのです。

そんなときに、「クォークには3世代以上あるはずだ」と大胆な予言をした物理学者がいました。それが、２００８年にノーベル賞を受賞した小林誠さんと益川敏英さんです。第2世代もまだ揃っていないのに第3世代もあるというのですから、１９７３年に発表された当時は多くの物理学者を驚かせました。それについてはのちほどお話ししますが、あまりに飛躍した予言なので、「何をバカなことを言ってるんだ」と思った人も大勢いたようです。

しかしその翌年には、アップクォークに対応する新しいクォークが見つかり、「チャームクォーク」と命名されました。物理学者たちが「11月革命」と呼ぶ大発見です。この発見をめぐるドラマについてはのちほどあらためてお話しします。

ここでようやく第2世代が出揃ったわけですが、さらに次の年には、とうとう3世代目の素

［図17］クォークの3世代

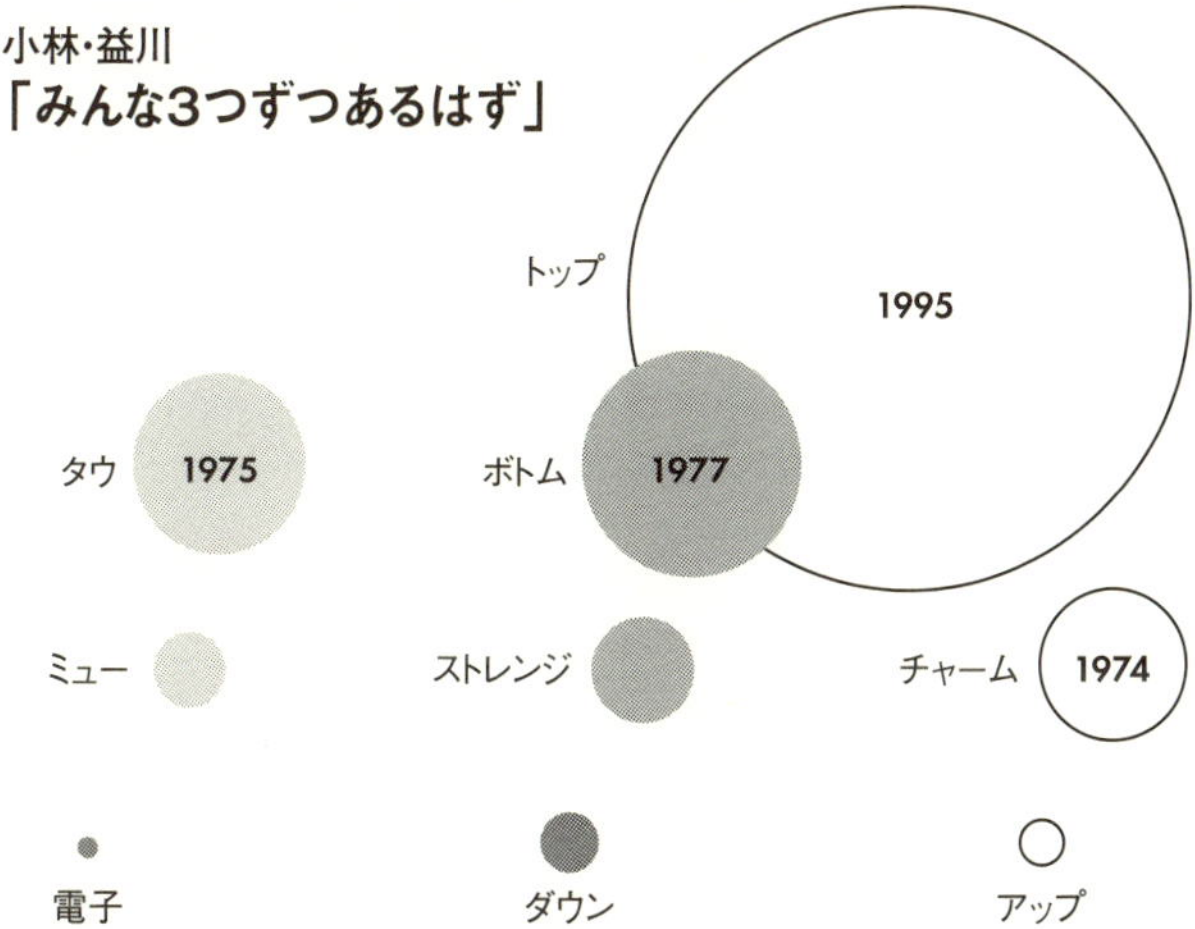

粒子が登場します。電子と性質が同じで、質量はミューオンよりも重い「タウオン（タウ粒子）」が発見されたのです。この粒子にもペアとなるニュートリノがあり、「タウニュートリノ」と名付けられました。

電子が3つの世代を繰り返すなら、クォークにも3世代がありそうです。ほとんどの人はノーベル賞をもらうまで知らなかったと思いますが、1970年代後半の物理学界は、小林・益川理論が証明されるかどうかで、かなり盛り上がっていたんですね。

3世代目のクォークが初めて見つかったのは、1977年のことでした。性質はダウンクォークと同じで、ストレンジクォークよりも質量の重い「ボトムクォーク」です。ここまで来れば、あとは時間の問題。加速器のエネルギーを高めていけば、いずれアップクォーク、チャームクォークに対応する3世代目が見つかるはずです。

でも、それには予想以上に時間がかかりました。1970年代には次々と新粒子が出てきたのに、1980年代に入ると見つかりません。日本でも、高エネルギー物理学研究所が大型加速器を使った「トリスタン計画」を進めましたが、新クォークは発見できませんでした。小林・益川のお2人も、さぞやヤキモキされたのではないでしょうか。

しかし、ボトムクォーク発見から17年後の1995年、アメリカのフェルミ国立加速器研究所が、ついに「トップクォーク」の存在を確認しました。ちなみにその質量は、アップクォークのおよそ5万倍。金の原子に匹敵する重さです。同じ世代のボトムクォークと比較しても40倍近い質量があるので、発見まで時間がかかりました。加速器の高エネルギー化によって、小林・益川理論の予言どおり、素粒子は3つの世代を繰り返すことがわかったのです。

物質は構成せず「力」を伝達する素粒子もある

念のため、いままでに登場した3世代の素粒子を整理しておきましょう。

・第1世代　電子　電子ニュートリノ　アップクォーク　ダウンクォーク
・第2世代　ミューオン　ミューニュートリノ　チャームクォーク　ストレンジクォーク

・第3世代　タウオン　タウニュートリノ　トップクォーク　ボトムクォーク

これで宇宙を構成する素粒子がすべて揃った……と言いたいところですが、実は「標準模型」に含まれる素粒子はこれだけではありません。いま挙げた12種類の素粒子は、すべて「フェルミオン（フェルミ粒子）」と呼ばれるもの。それとは別に、「ボソン（ボース粒子）」という言葉で分類される素粒子が存在するのです。

ますます厄介な話になってきたぞ……と思われるかもしれませんが、「フェルミ」と「ボース」はいずれも物理学者の名前（イタリア人とインド人）なので、あまり気にしないでください。両者の違いとしてまず知ってほしいのは、粒子を「同じところに置けるかどうか」という点です。

何のことだかわからないかもしれませんが、たとえば、ここにリンゴが1個あるとしましょう。ごく当たり前の話ですが、そのリンゴが存在する空間に、もう1個別のリンゴは置けませんよね？　物質とは、そういうものです。

フェルミオンに分類される12種類の素粒子は、すべてそういう性質を持っています（これを「パウリの排他原理」と言います）。電子のあるところに別の電子は置けませんし、複数のクォークが同じ空間に重なって存在することもできません。

一方、排他原理に従わず、同じ場所にいくらでも詰め込めるのがボソンです。不思議な話ですが、たとえば「光子」がボソンの一種だと聞けば、それも納得できるのではないでしょうか。DVDや光通信で使うレーザーがそうであるように、光はいくらでも重ねて強くすることができます。「それは波だからだろう」という人は、私の話をよく聞いていなかったことになるので、反省しましょう（笑）。光は「波」であると同時に、「粒子」でもあるのです。

光子のほかにどんなボソンがあるのかは追々お話ししますが、この粒子は排他原理に従わないので、当然、物質を構成できません。では、何のためにそんな粒子が存在するのでしょうか。そこで思い出してほしいのが、前に名前の出た「パイ中間子」です。陽子と中性子のあいだで「力」を伝達し、両者をくっつけている粒子です。ただしパイ中間子そのものは「素粒子」ではありませんでした。クォークと反クォーク（クォークの反粒子）から成る複合粒子だということがわかっています。したがって、「標準模型」の素粒子リストには含まれていません。

では、なぜパイ中間子が陽子と中性子をくっつけられるのか。それは、パイ中間子を構成するクォークが、「力」を伝達する素粒子を持っているからです。この「力を伝達する素粒子」こそが、ボソンにほかなりません。

……と、ここから話は、いよいよ2番目の大テーマに移ります。

「物質は何でできているのか」という第1のテーマについては、12種類のフェルミオンで一応の説明がつきました。次に知りたいのは、その物質を支配する「基本法則」はいかなるものか、という問題。基本法則とは、言いかえれば物質間で働く「力」の法則のことです。次の章からは、物質と物質の間で働く4つの力についてお話ししていくことにしましょう。

第3章

「4つの力」の謎を解く

重力、電磁気力

重力、電磁気力、強い力、弱い力

自然界では、物質間でいくつかの力が働いています。その中で、私たちにとっていちばん身近なのは「重力」でしょう。物が地面に落ちることや、自分が地に足をつけて歩けることは、誰もが当たり前だと思っています。でも考えてみると、なぜ物と物が「くっつく」のか不思議ではありませんか？　その不思議な現象を、アインシュタインは「重力が空間を曲げるのだ」と説明したわけです。

もうひとつ、私たちは物と物が「くっつく」現象をよく知っています。磁石のS極とN極、電気のプラスとマイナスが引き合う現象です。重力と違って、こちらは「引力」だけではありません。S極とS極、マイナスとマイナスなどの場合は、逆に「斥力《せきりょく》」が働いてお互いが離れようとします。

かつて、電気と磁石の力はまったく別のものだと思われていました。それが同じ力であることを見抜いて「電磁気力」に統一したのは、19世紀の物理学者マクスウェルです。彼が確立した古典電磁気学は、社会を大きく進歩させました。たとえば、私たちの生活はいまや電波なしでは成り立ちません。その電波をはじめとする電磁波の存在を予言したのが、マクスウェルの理論なのです。

[図18] **物質間で働く4つの力**

	力の種類	力の伝達粒子	力の大きさ(目安)
	強い力	グルーオン	**1** 原子核 核融合 太陽エネルギー
電弱力	**電磁気力**	光子 (フォトン)	**0.01** 原子、分子 エレクトロニクス 雷、オーロラ
電弱力	**弱い力**	W、Zボソン	**10^{-5}** 中性子崩壊 原子核崩壊 ニュートリノ 地熱
	重力	重力子 (グラビトン)	**10^{-40}** 万有引力 星、銀河 ブラックホール

電磁気力はボソンの一種である「光子」のやりとりで生まれるのですが、その仕組みについては、のちほどお話ししましょう。ともかく物理学は、大昔から、こうした「力」の法則を求めてきました。

自然界で働く「力」は重力と電磁気力だけではありません。私たちの目に見えるマクロの世界はその2つで説明できますが、素粒子が活躍するミクロの世界には、それ以外に2つの「力」があります。

そのうちの1つには、先ほど少し触れました。陽子と中性子（と、それを構成するクォーク同士）をくっつける力がそれです。これは重力や電磁気力とは違うもので、名前は「強い力」。小学校の校歌に出てきそうな言葉ですよね。でも、これは素粒子物理学の専門用語なので、一般名詞ではなく固有名詞として覚えておいてください。英語では「strong interaction」と呼び、「強い相互作用」と訳されることもあります。

2つのうち1つが「強い力」となれば、もう1つの名前も察しがつくでしょう。そう、「弱い力」（weak interaction）です。弱い力はすべての粒子に働きます。前に、中性子のベータ崩壊についてお話ししましたが、あれが弱い力が起こす現象の代表例です。

重力、電磁気力、強い力、弱い力。私たち物理学者は、自然界に存在するこの4つの力を、たった1つの原理で説明したいと考えています。

[図19] **統一の歴史**

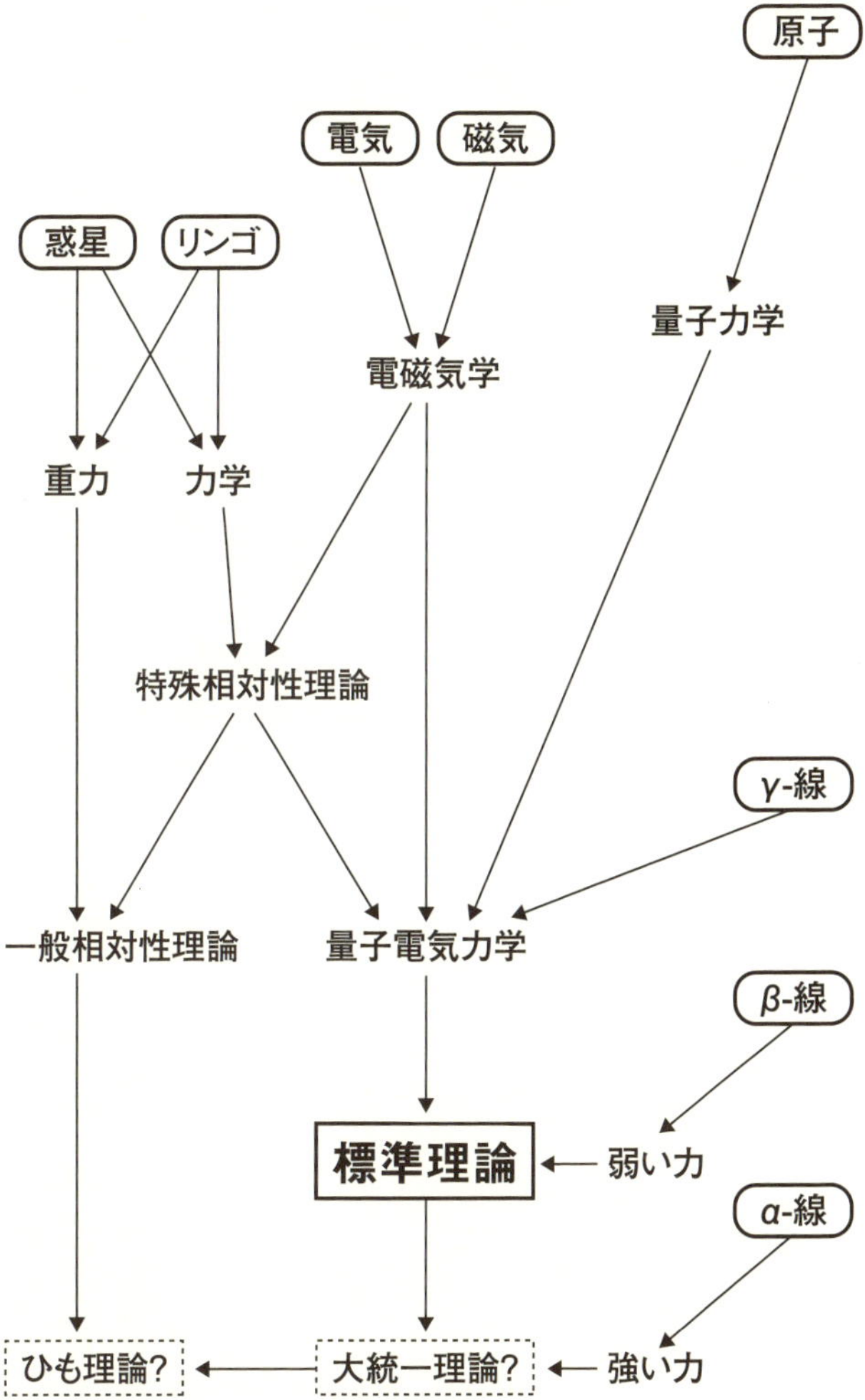
原子
電気
磁気
惑星
リンゴ
量子力学
電磁気学
重力
力学
特殊相対性理論
γ-線
一般相対性理論
量子電気力学
β-線
標準理論
弱い力
α-線
ひも理論?
大統一理論?
強い力

「それぞれ別々に説明できればいいじゃないか」と思われるかもしれませんが、物理学者はそうは考えません。自然界の根本にはシンプルな法則が存在し、すべてはそれにしたがって動いているはずだという信念があるからです。その信念がなければ、20世紀物理学が標準模型に到達することもなかったでしょう。

たとえばアインシュタインは、重力と電磁気力を統一する理論を完成させたいと願っていました。それはつまり、自分の一般相対性理論とマクスウェルの電磁気学を統一するということです。しかしアインシュタインほどの天才でさえ、それは叶いませんでした。おそらく、大きな悔いを残しながらこの世を去ったことでしょう。

残念ながら、20世紀物理学が生んだ標準模型も、4つの力を統一するまでにはいたっていません。そもそも、これは重力を除く3つの力（電磁気力、強い力、弱い力）について説明するものです。

しかも、それぞれの力を伝達する粒子の働きはわかりましたが、3つを統一する理論はまだ完成していません。電磁気力と弱い力については統一理論（ワインバーグ＝サラム理論）があり、実験でもそれが証明されつつありますが、そこにもまだ乗り越えるべき壁がいくつかあります。

ですから現在の標準模型は、すばらしい到達点ではあるものの、あくまでも究極の目標を達成する前の「途中経過」にすぎません。そういう前提で、これからの説明を聞いていただきたいと思います。

力は粒子のキャッチボールで伝達されると考える

さて、私は先ほど、「電磁気力は光子というボソンのやりとりで生じる」と言いました。さりげなく言ったつもりですが、聞き流すことができなかった人も多いでしょう。たとえば磁石のS極とN極がくっつく力も「光という粒子」が運んでいるという話ですから、引っかかるのも無理はありません。

しかし標準模型では、電磁気力、強い力、弱い力をすべて「粒子（ボソン）のキャッチボール」で説明します。とりあえず、力を伝達する粒子の名前だけ挙げておくと、電磁気力は光子（フォトン）、強い力はグルーオン、弱い力はWボソンとZボソン。それだけではありません。まだ見つかっていませんが、重力も「グラビトン」と名付けられた粒子が運んでいると予想されています。

一般的な感覚では、なかなかイメージしにくい話でしょう。ここでのポイントは、離れた物質が引き合ったり反発し合ったりするのですから、（念力のような超能力を使っていないかぎり）そこでは何かがやりとりされているはずだと考えるところにあります。

たとえば、池の水面にA・B2枚の筏《いかだ》を浮かべて、キャッチボールをしているところを想像してください。周囲には風もなく、水面はまったく静止しているとしましょう。Aの上からBに向かってボールを投げると、その反動でAは少し下がります。一方、ボールを受け取ったBの筏も、その勢いに押されて少し下がりますよね？　見かけの上では、AとBがボールを「やりとり」することで「反発」し合ったわけです。

このボールをボソンという粒子だと思えば、それが「力を伝える」ということの意味が、なんとなくイメージできるのではないでしょうか。もちろん、このたとえ話は「引力」を無視して「斥力」しか説明していませんし、そもそも粒子のやりとりはもっと複雑なものです。しかし、キャッチボールをしなければ2枚の筏は動きません。陽子と中性子がくっついていられるのも、磁石がくっついたり反発したりするのも、すべては物質がボソンを吸ったり吐いたりしているからなのです。

では、まず「光子」のやりとりで電磁気力が生じるとは、どういうことなのか。標準模型が扱う3つの力の中では、これがいちばん身近な存在なので、そこから話を始めたいところです。

……が、すぐ本題には入りません。光子が電磁気力を伝える仕組みを明らかにした「量子電気力学」は、マクスウェルの電磁気学に、相対性理論と量子力学を取り入れた壮大な統一理論です。ですから、前提となる理論について、ある程度の知識があるほうがよいでしょう。またしても遠回りな話になりますが、「急がば回れ」という言葉もあります。ここからは、相対性理論と量子力学について、標準模型の全体像を理解する上で必要な「キモ」の部分だけを、簡単にお話ししておくことにしましょう。

質量はエネルギーに変えられるという大発見

「もし自分が光と並んで走ったら、光はどのように見えるのだろう？」

相対性理論は、アインシュタインが16歳のときに抱いたこんな疑問から始まったと言われています。自動車や電車の場合、同じ速度で並走すれば、相手が止まって見えるでしょう。しかしアインシュタインは、「光が止まって見えることなどないはずだ」と考えました。そして最終的に、「光速度不変の原理」に到達したのです。

詳しい話を始めると、それだけで1冊の本になってしまうのでやめておきますが、この原理から、時間や空間について、従来の常識をひっくり返すような性質が明らかになりました。光速に近い速度で移動すると時間が遅れる、というのもその1つです。光速で宇宙旅行をして地球に帰ると、自分は歳を取っていないのに、孫娘がおばあちゃんになっていた——SFの世界ではよくある話ですが、これは理論的に間違っていません。

もちろん、人間が光速に近い速度で旅行をするのは非現実的です。でも、前に紹介したミューオンの観測では、相対性理論の正しさを実証するデータが得られました。

先ほど、ミューオンは大量に宇宙から降ってくると言いましたが、正確に言うと、宇宙から降ってくるのは普通の陽子がほとんどです。陽子が上空で空気の原子核と反応してミューオンができ、上空約20キロメートルの高さから降ってきます。

ミューオンは寿命がとても短い粒子です。光速で飛んでも、誕生した地点から660メートルほど飛んだところで壊れてしまうほどの短さです。ところが現実にミューオンは地上で観測され、ピラミッドの調査にも使われました。これは、光速に近い速度で運動することで時間が遅れ、寿命が延びたからなのです。

ところで、相対性理論が明らかにした「光速」の原理はそれだけではありません。光速は誰から見ても不変なだけではなく、宇宙の「制限速度」でもあります。

相対性理論が登場するまで、物体の速度は無限に上げられると思われていました。しかしアインシュタインによれば、毎秒3億メートルという光の速度を超えて物体を加速させることはできません。誰も光を追い抜くことはできないのです。

では、光速に近づいた物体を加速させるためにエネルギーを加え続けると、どうなるのでしょう。実は、その物体は加速せず、質量が増えていきます。質量とは物体の「動かしにくさ」

のことですから、エネルギーを加えれば加えるほど逆に加速しにくくなる。不思議な話ですが、だから物体は光速を超えられないのです。

ここで思い出してほしいのが、前に紹介した「$E=mc^2$」という例の公式です。これは、エネルギーと質量が本質的に同じものであることを示すものでした。エネルギー（E）は質量（m）に、質量はエネルギーに変わることができるのです。

「質量保存の法則」の綻びにブリタニカ執筆者も興奮

これは、実に画期的な発見でした。それまで、物質の質量は変わらないと考えられていたからです。たとえば自動車が事故を起こして大破したとしましょう。壊れた車の部品を（車体やエンジンからフロントガラスの破片まで余すところなく）すべて集めれば、壊れる前の自動車と同じ質量になるはず。これが「質量保存の法則」で、私たちの日常生活では誰もがそれを当然だと思っています。

しかしブリタニカ国際大百科事典で「質量」の項目を引くと、こんな記述があります。

〈長い間物質の質量は変わらないと思われてきた。「質量保存の法則」によると、どんなに物質の構成が組み替えられても、質量の合計は決して変わらない。（中略）1905年のアインシュタインの特殊相対性理論で、質量についての考え方に革命がおこった。質量は絶対ではなくなった。ものの質量はエネルギーと同じで、エネルギーに変えることができる。質量はもう一定のものでも変えることができないものでもなくなった〉

ふつうは事務的な調子で書かれる百科事典とは思えないほど、書き手が興奮しているように感じられませんか。アインシュタインの「$E=mc^2$」は、ブリタニカの執筆者から平常心を奪うほどの発見だったわけです。

では、質量がエネルギーに変わるとはいったいどういうことでしょうか。たとえば、原子核をバラバラにして、陽子と中性子の質量を別々に量ります。自動車を解体して部品ごとに重さを量るのと同じですから、両者の質量の合計は原子核全体の質量と変わらないはずです。

ところが実際は、別々に量った質量の合計のほうが、原子核よりも重くなります。質量を「結合エネルギー」に変えて吐き出すために、くっついたほうが軽くなるのです。陽子や中性子にとっては、軽くて安定した状態なので、こちらのほうがお得です。このように、エネルギーを放出して質量が軽くなる現象のことを「質量欠損」と言います。

こうした現象を最初にドラマチックな形で示したのは、1932年にイギリスのコッククロフトとウォルトンが行った実験でした。世界初の粒子加速器で、陽子（水素の原子核）をリチウムの原子核にぶつけ、初めて原子核の変換に成功した実験です。

この実験では、驚くべき2つの結果が出ました。1つは、リチウム（陽子3つ）がヘリウム（陽子2つ）に変換されたこと。ここで初めて、元素が変わることがわかったのです。かつて「錬金術」は不可能とされていましたが、原理的には鉛から金をつくれるということですね。もっとも、その実験には莫大な費用がかかるので、買ったほうが安いのは言うまでもありませんが。

もう1つの驚きは、質量がエネルギーに変わったことです。全体の質量は、衝突前よりも衝突後のほうが減っていました。減った質量は、ヘリウムが飛び出すときの運動エネルギーに変換されたのです。

性質は同じで電荷が反対の「反物質」

その翌年には、ジョリオ＝キュリー夫妻（キュリー夫人のお嬢さん夫婦）の実験によって、エネルギーが物質に変わることも示されました。光のエネルギーを原子核にぶつけたところ、質量を持つ電子と陽電子が発生したのです。ちなみに、ここで生じた陽電子は、人類が初めてつくった「反物質」でした。

ここで、反物質について説明しておきましょう。素粒子には、質量やスピン（後述）などの性質は同じで、電荷などが正反対の「反粒子」が存在します。たとえば電子は電荷がマイナスなので、その反粒子は電荷がプラス（だから「陽電子」と名付けられました）。中性子は電荷を持たないので反中性子も電荷はありませんが、中性子はクォーク、反中性子は反クォークで構成されています。それらの反粒子でできた物質が、「反物質」というわけです。

電子の反粒子（陽電子）は、1930年にイギリスの理論物理学者ディラックによってその存在が予言され、1932年にアンダーソンが宇宙線の中から発見しました（その5年後に、彼はミューオンを中間子だと思い込みました）。そして1933年に、ジョリオ＝キュリー夫妻が人工的に陽電子をつくり出すことに成功したわけです。この実験は、エネルギーが質量に変わることに加えて、物質と反物質が常に1対1で生じることを明らかにしました（それを「対《つい》生成」と言います）。

1955年には、反陽子と反中性子も発見されました。セグレとチェンバレンという2人の物理学者がリーダーを務めるチームが、バークレーの粒子加速器を使って行った実験です。光速近くまで加速した陽子を標的にぶつけることで、反陽子（電荷がマイナス）が生まれました。ここでわかったのは、それだけではありません。つくられた反陽子が別の陽子に出会うと、こんどは対消滅してエネルギーに戻りました。さらに、そのエネルギーはまた質量に変換され、さまざまな種類の粒子が生まれます。アインシュタインの理論どおり、質量はエネルギーになり、エネルギーは質量になるのです。

[図20] 人類が最初につくった反物質

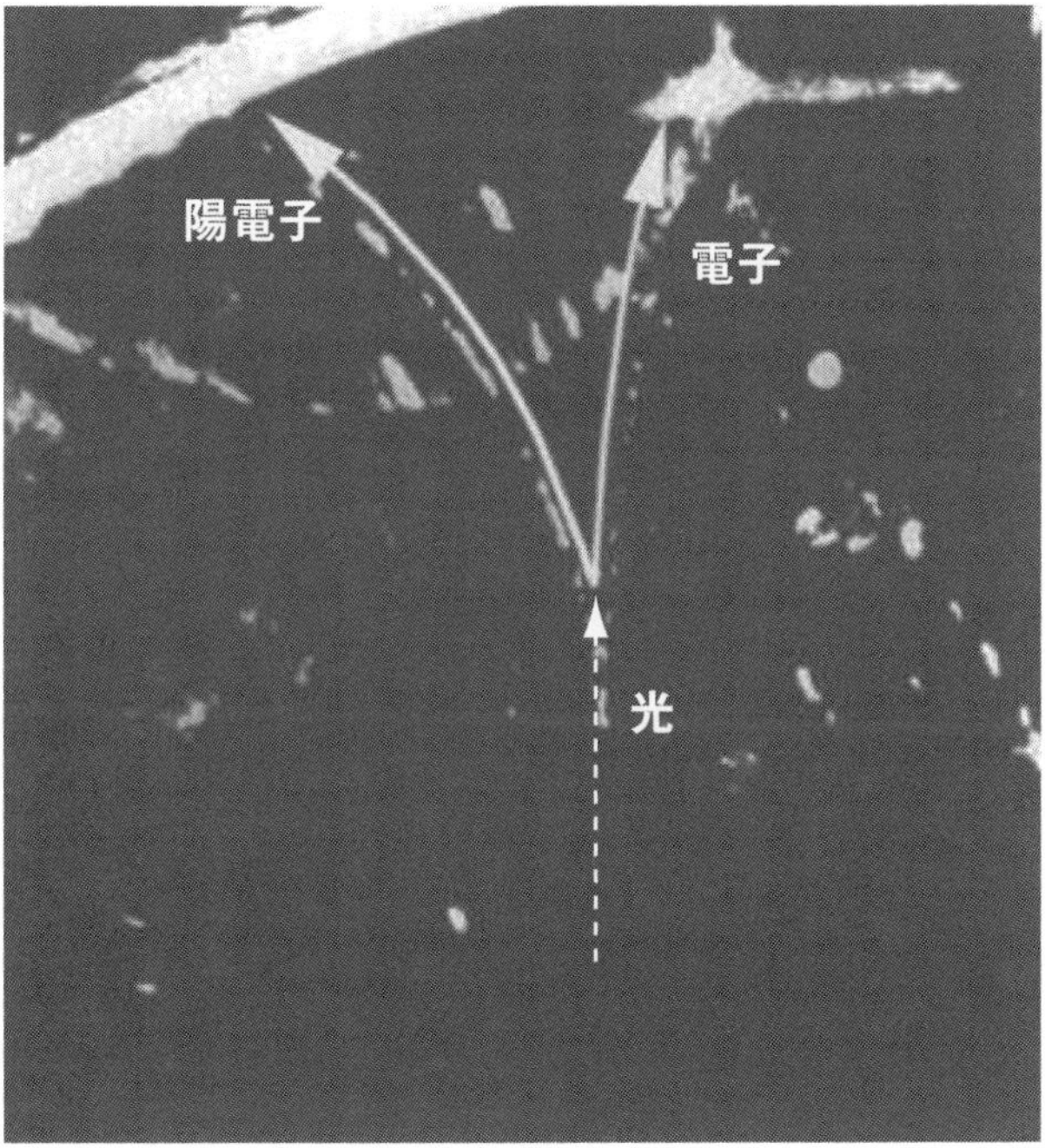

物質と反物質は常に1対1で生じる

Source : Musée Curie (Coll. ACJC). Paris.

［図21］物質と反物質の消滅

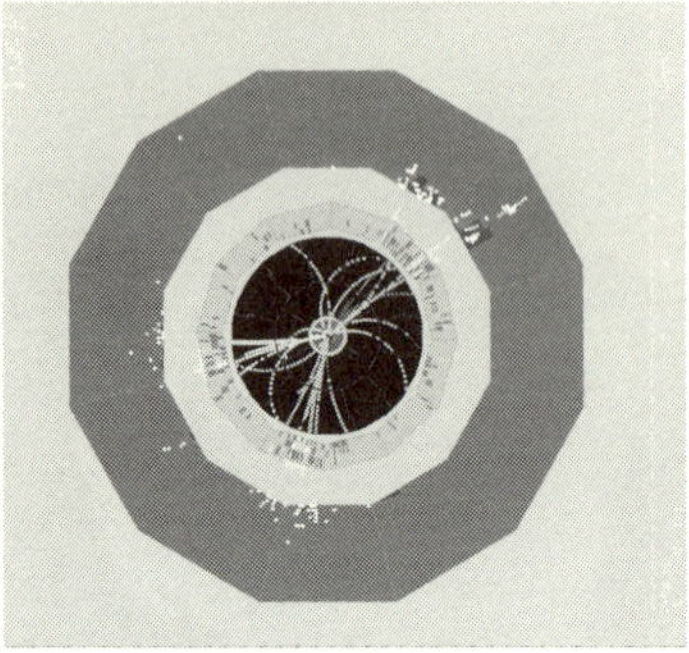

加速器のトンネルの断面。
紙面の手前方向から打ち込まれた電子と、背後から打ち込まれた陽電子が、
図の中心で衝突して消滅したところ。
そのエネルギーがハドロンに変わって検出された様子を表している。

Credit:CERN

毎秒50億キロをエネルギーに変える太陽の核融合反応

これは実験室の中だけで起こる現象ではありません。質量がエネルギーに変わる現象は、私たちの生活に深く関わるところでも起きています。太陽は、その質量をエネルギーに変えることで燃えているのです。

太陽の中では、まず4つの水素原子でヘリウムがつくられます。水素の原子核は陽子1つ、ヘリウムは陽子2つと中性子2つですから、ここで陽子2つを中性子に変えなければなりません。電荷がプラス1の陽子が2つ、電荷ゼロの中性子になるので、ここで陽電子（電荷プラス1）が2つ発生します。

それだけではありません。反粒子は必ず粒子と対生成するので、陽電子とペアのニュー

［図22］太陽の核融合反応

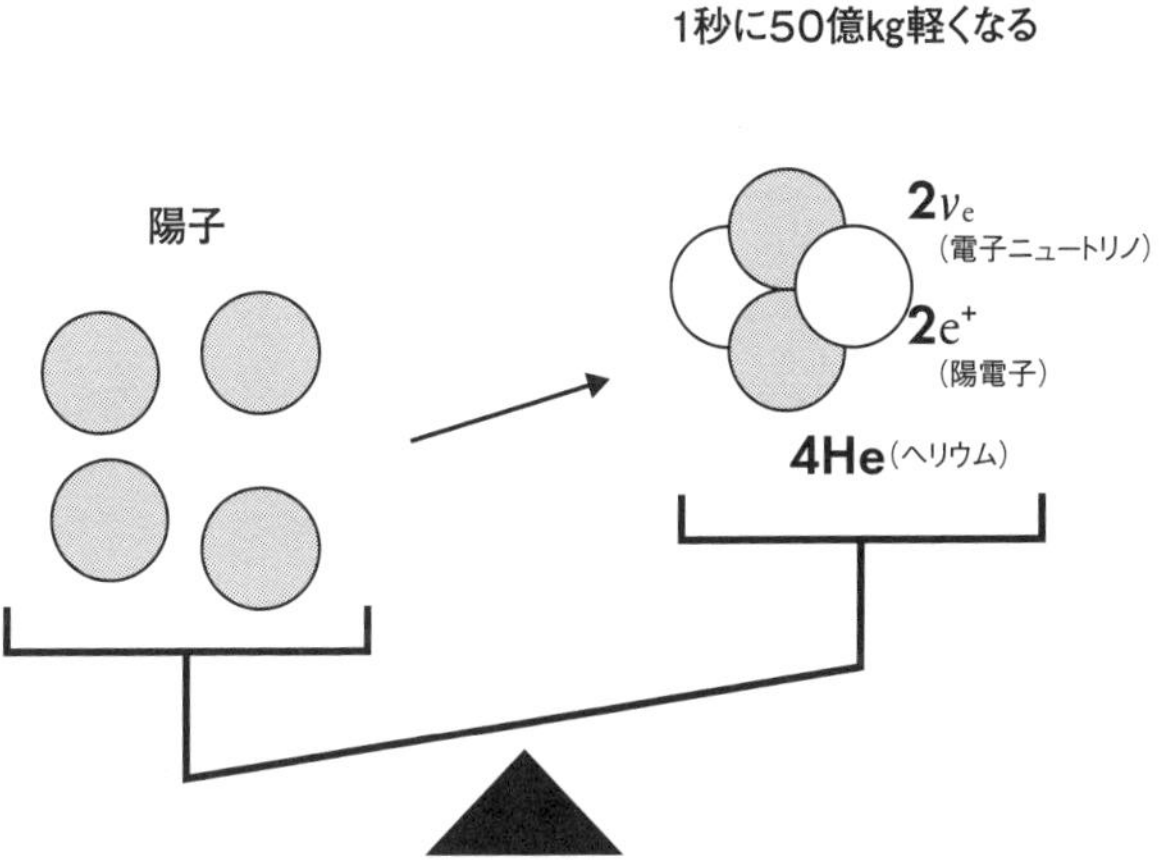

トリノも2つ発生します。この核融合反応によって質量欠損が起こり、その質量をエネルギーに変えることで、太陽は燃えているわけです。その質量欠損は、なんと1秒に50億キログラム。太陽がそれだけの質量をエネルギーに変えてくれているおかげで、私たちの生活は成り立っていることになります。

ところで、誰も行ったことがないのに、なぜ太陽の中でそんな反応が起きていることがわかるのでしょうか。実は、その決定的証拠をつかんだのが、日本のスーパーカミオカンデでした。太陽の中で陽電子と対生成したニュートリノを捕まえたのです。スーパーカミオカンデは、地下1キロメートルの真っ暗闇の中にあるのですが、宇宙から届くニュートリノを使って太陽の「写真」を撮ることにも成功しました。「フォトグラフ」の「フォト」は光のことですから、こちらはさしずめ「ニュートリノグラフ」ということになるでしょうか。地下の暗闇で太陽が「見える」のですから、なんとも不思議な話です。

太陽から飛んできたニュートリノは、そこで核融合反応が起きていること――つまり質量がエネルギーに変換されていること――を明確に物語っています。そして、相対性理論が明らかにしたこの事実こそが、「標準模型」を理解する上での1つの「キモ」になりますので、よく覚えておいてください。

不確定性関係――位置と速度は同時に測れない?

次に、量子力学の話をしましょう。相対性理論はアインシュタインがほぼひとりでつくり上げたものですが、こちらは多くの物理学者が寄ってたかっていろいろなアイデアを出しながら築いた理論です。

前にも触れましたが、その先駆けとなったのは、プランクの量子仮説であり、アインシュタインの光量子仮説でした。それを踏まえて、ボーアが電子に「とびとびの軌道」があるという説を唱え、さらに物質を「波」と考えるド・ブロイの理論が生まれたことも、すでにお話ししたとおりです。

[図23] 太陽核融合反応の決定的証拠

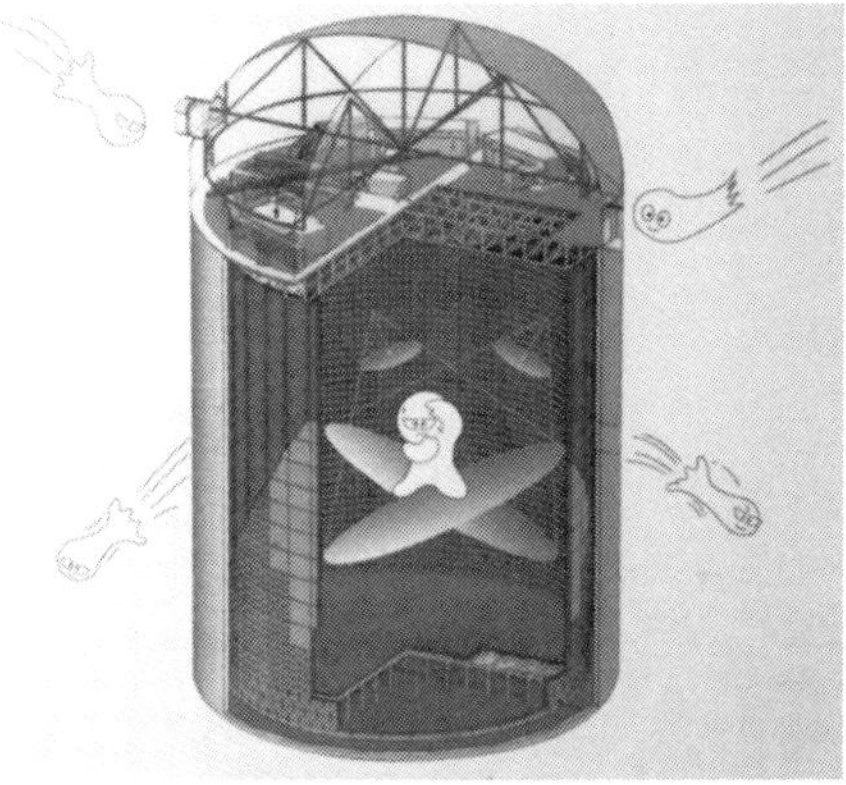

スーパーカミオカンデ

鈴木厚人氏提供

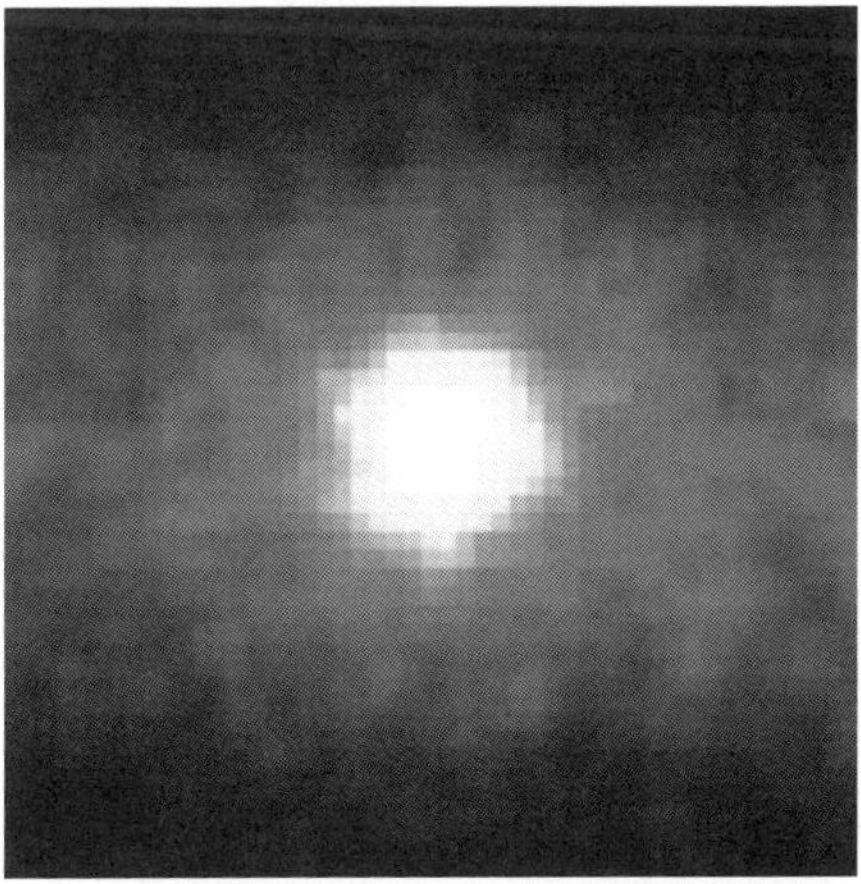

ニュートリノを利用し地下1キロの真っ暗闇で撮った太陽

Credit:R.Svoboda, University of California, Davis (Super-Kamiokande Collaboration)

ここまででも十分に不思議な話だと思われるでしょう。しかし、ミクロの世界を説明する量子力学は、その後さらに奇妙な理論を打ち立てました。それが、ドイツの理論物理学者ハイゼンベルクの「不確定性関係」です。これは、ニュートン力学における常識をひっくり返すようなものでした。

というのも、まずニュートン力学では、ある時点で物体の位置と速度がわかれば、その後の位置と速度も求められます。それは誰でも当たり前に納得できるでしょう。転がっているボールの速度がわかれば、たとえば10秒後にそれが何メートル先にあるのか予測するのは少しも難しくありません。これができないと、ビリヤードのプロは仕事があがったりになってしまいます。

ところがミクロの世界では、そもそも粒子の正確な位置と速度を同時に測定することができない、とハイゼンベルクは言いました。位置を高い精度で測ろうとすると速度がわからなくなり、速度を精密に測ろうとすると位置がボヤけてしまうというのです。

そういう位置と速度の関係を、ハイゼンベルクはこんな式で表しました（ここで「運動量」はものの勢いを表す量で、質量×速度で決まります）。

Δx（位置の曖昧さの幅）×Δp（運動量の曖昧さの幅）＞h（プランク定数）

Δxとpの積は、決してプランク定数より小さくなることがありません。したがって、位置を正確に決めるほど運動量の曖昧さが増し、運動量を正確に決めるほど位置の曖昧さが増すということです。

これをちゃんと理解するには、かなり専門的な数学を使わなければならないので、ここではお話ししません。ただ、物体が「粒子」だと思うとわけがわからないでしょうが、それが「波」だと思えば、なんとなくハイゼンベルクの言わんとしていることがイメージできるのではないでしょうか。たとえば位置を正確に決めるほど運動量の曖昧さが増すというのは、津波が狭い入江に入ると激しく盛り上がって家をのみこむのと同じ原理です。

波には常に「広がり」があるので、その「位置」や「速度」を正確に測定するのは、どうも難しそうな気がしますよね。というか、どこをどう測ればいいのかもよくわかりません。

波というのは、そのようにボンヤリしたものですが、もちろん、これはミクロの世界の話ですから、ニュートン力学が扱うマクロの世界では、「波の広がり」を無視してかまいません。

しかし私たちの身の回りにある物体も、顕微鏡の解像度を上げてズームインしていくと、実はわずかに揺らいでいます。素粒子の世界を厳密に把握しようとすれば、その揺らぎは無視できないのです。

エレクトロニクス技術として実用化された「トンネル現象」

たとえば、ミクロの世界で、いくつかの素粒子を枠で囲い込んだとしましょう。そこでは、粒子の「位置」が狭い範囲で決められたことになります。先ほどの式で言えば「Δx」がきわめて小さくなったということ。そのため、不確定性関係にしたがって、粒子の運動量の曖昧さ（Δp）が大きくなります。

すると、何が起こるのか。不思議なことに、しばらくすると粒子がじわじわと広がって、枠の外に滲《にじ》み出てくるんですね。まさに「波」ならではの現象と言えるでしょう。これは「トンネル現象」と呼ばれています。江崎玲於奈さんがノーベル賞を受賞したトンネルダイオードも、この原理を応用したものです。いかにも非現実的な印象のある不確定性関係ですが、現実世界のエレクトロニクス技術として実用化されているのです。

また、不確定性関係には、エネルギーと時間の関係を表す式もあります。

ΔE（エネルギーの曖昧さの幅）×Δt（時間の曖昧さの幅）＞h（プランク定数）

これは、先ほどの位置と速度の不確定性関係から導かれるものです。どういうことかというと、まず、運動している粒子の速度を測る場合、その時間が短いほど移動距離も短くなりますよね？　距離が短いということは、位置の幅（Δx）が狭まるということ。そして、位置の幅が狭まると、（先ほどの式から）速度の曖昧さが大きくなります。

速度の曖昧さが大きくなるとは、別の言い方をすると、運動エネルギーの不確定性（曖昧さ）が大きくなるということにほかなりません。そんなわけで、「時間」の幅を狭めると、「エネルギー」の幅が大きくなる。逆に「時間」の幅を広げると、「エネルギー」の不確定性は小さくなるのです。

この時間とエネルギーの関係は、加速器で素粒子をつくり出すときにも問題になります。素粒子にはそれぞれ「寿命」があり、それによってつくるのに必要なエネルギーの幅が異なるのです。なぜなら、寿命が短いほど「時間」の幅が狭く、寿命が長いほど「時間」の幅が広くなるからです。したがって、素粒子の寿命が短いほど、それに対応するエネルギーの幅は逆に大きくなります。

ですから、寿命の短い素粒子ほど、それをつくるのに必要なエネルギーの大きさはアバウトに考えてかまいません。エネルギー量をあまり正確に設定しなくていいので、「つくりやすい」ということになるわけです。

逆に、寿命の長い素粒子はエネルギーの幅が狭いので、その範囲にぴったり合うように電圧をコントロールしなければいけません。いわば「ストライクゾーン」が狭いので、実験には高い精度が要求されます。それだけ検出が難しくなるわけですね。

たとえば、「第2世代」の素粒子であるチャームクォークがそうでした。加速した電子と陽電子をぶつけて、チャームクォークと反チャームクォークでできた中間子をつくろうとしたのですが、この中間子は寿命がかなり長いのです。そのため、加えるエネルギーをぴったりの数値に設定しなければならず、いくつか行われた実験のうち、やっと1つが、生成に成功しました。

コペンハーゲン解釈――神はサイコロを振るらしい

ところで、量子力学の誕生にはアインシュタインも貢献したわけですが、この分野には、そのアインシュタインでさえ受け入れられなかった考え方があるのをご存じでしょうか。それが、「コペンハーゲン解釈」です。デンマーク出身のボーアを中心とする学者たちが唱えたものなので、そう呼ばれるようになりました。

ここで、前に紹介した実験を思い出していただきましょう。2つの穴に向かって電子ビームを撃ち込み、電子が「波」であることを証明した実験です。

撃ち込まれた電子は、最終的には干渉縞というパターンを描きましたが、1つ1つの着弾点はランダムに見えました。ここから、2つのことが言えます。まず、撃った電子がどこに行くかは1回1回は「予言できない」ということ。もう1つは、その行き先の「確率はわかる」ということです。電子が「次にどうなるか」は、全体の結果から逆算した確率でしか予測できません。

簡単に言えば、これがコペンハーゲン解釈です。もう少し踏み込んで言うと、コペンハーゲン解釈では、撃ち込んだ電子は1つ1つが「波」の広がりを持っており、それが壁に当たって観測された瞬間、1点にキュッとまとまるのだと考えます。つまり、観測者がそれを「見る」までは位置が決められないということ。電子にかぎらず、あらゆる粒子は、観測されていないときは「波」なので、「どこにあるか」は決められないというわけです。

一般の感覚では、誰でも「おかしい」と思うでしょう。波の性質を持っているとはいえ、それは「粒子」なのですから、誰も見ていなくても、常にどこかに「ある」ように思えます。それを予測できないはずはありません。

アインシュタインもそう考えて、コペンハーゲン解釈に反対しました。反論の際に吐いた「神様はサイコロ賭博をしない」という言葉は、あまりにも有名です。また、コペンハーゲン解釈のもとになった波動関数の方程式で、1933年にノーベル賞を受賞したオーストリアのシュレーディンガーも、この解釈には反対でした。

でも、どうやら神様はサイコロを振るようです。現在でも反対意見や別の解釈はいろいろあるものの、いまやコペンハーゲン解釈は物理学のスタンダードな考え方になりました。その解釈を採用すれば、さまざまな実験結果がきちんと説明できるからです。その解釈に基づいて実用化されているエレクトロニクス技術も少なくありません。本当に奇妙な話だと私も思いますが、それが量子力学の世界なのです。

同じ場所に詰め込めるボソン、詰め込めないフェルミオン

量子力学には、もう1つ、粒子の性質に関する原理があります。これについてはすでに少しお話ししました。「フェルミオン」と「ボソン」の違いに関するもので、「パウリの排他原理」と言います。

前に説明したとおり、電子、ニュートリノ、クォークなどの素粒子は同じ場所に1つしか置けません。一方、力を伝えるボソンは、同じ場所にいくらでも詰め込める。先ほどは話を省きましたが、これは両者の「スピン」の違いによるものです。

文字どおり、スピンとは素粒子の回転を表す物理量のこと。素粒子はいわば永遠に回り続けるコマのようなもので、いまのところ、スピンのない素粒子は見つかっていません。素粒子以

外の粒子には例外もあり、たとえばパイ中間子にはスピンがありませんが、それはパイ中間子を構成するクォークと反クォークのスピンが打ち消しあっているからです。

では、フェルミオンとボソンのスピンは何が違うのでしょうか。

そもそもスピンとは、「角運動量」のことです。聞き慣れない言葉ですが、たとえばヒモの先におもりをつけてグルグル振り回しているところを思い浮かべてください。この場合、「ヒモの長さ×おもりの重さ×回転速度」が角運動量です。角運動量は保存されていて、説明は省きますが、走る自転車が倒れないのはこのおかげです。

素粒子の場合、この角運動量が0、1/2、1、3/2、2、5/2……という具合に、「とびとびの値」になります。「整数÷2」（正確に言うと、プランク定数を含む単位の整数倍）以外の値にはなりません。そして、このスピンが半整数（奇数÷2）になるのがフェルミオン、整数（偶数÷2）になるのがボソンです。

なぜスピンが整数だと同じところに詰め込めるのかについては、かなり難解な話になるので、この講義では省きましょう。とにかく素粒子にはそういう性質があることだけ知っていれば、とりあえずは十分です。それ以外にも、量子力学では素粒子にいくつかのルール（おもに保存則）があることが明らかになっていますが、それについては、のちほど必要に応じてお話しすることにしましょう。

以上、相対性理論と量子力学について非常に駆け足で説明してきました。これらの理論を使うと、たとえば時間や距離をすべてエネルギーで測ることができるなど、素粒子の世界を説明するのがとても便利になります。そして、特殊相対性理論と量子力学を融合し、それをさらに電磁気学と統一したのが「量子電磁力学」なのです。

原子と原子は電磁気力でくっついている

さて、それでは「素粒子が力を伝える」とはどういうことなのか。それを、まずは電磁気力について説明しましょう。

4つの「力」の中でも、電磁気の働きは重力に次いで身近なものです。たとえば磁石が鉄にくっついたり、下敷きをこすって頭に近づけると髪の毛がくっついたり、空で稲妻が発生したりするのが、電磁気による現象だということはみなさんもご存じでしょう。

でも、電磁気が引き起こすのはそういう特別な現象だけではありません。原子と原子がくっついて分子になるのも、電磁気力によるものです。たとえば私たちが壁に寄りかかったとき、体が向こうにすり抜けて倒れたりはしませんよね？　これは、原子同士が電磁気力でしっかり結びついているからです。

そもそも、電磁気力がないとあらゆる物質が原子レベルまでバラバラになってしまうので、私たちの体も壁も存在できません。もちろん水や空気もできないので、体があっても生きていけませんが。

また、身近な現象ではありませんが、かつて原子の構造をたしかめるためにラザフォードが撃ち込んだアルファ粒子を原子核が跳ね返したのも、電磁気力によるものでした。散在していると思った原子内の電荷が中心に固まっていたため、電気の反発力で跳ね返されたわけです。

マクスウェルが確立した従来の電磁気学では、こうした現象を「電荷」と「電磁場（電場と磁場）」の相互作用として説明してきました。電荷とは、物質と電磁場との結びつきの強さを表す物理量のこと。電荷があるところには電磁場がつくられ、そこで働く力は方向を持つベクトルで示すことができます。

たとえばラザフォードの実験で言えば、標的となる原子核はプラスの電荷を持っており、その周囲には電場があります。電気の力は、原子核を中心として前後左右すべての方向へ伸びる矢印をイメージすればいいでしょう。

ラザフォードが撃ち込んだアルファ粒子は、さまざまな曲がり方をしました。金箔の向こう側にすり抜けたアルファ粒子も、まっすぐに飛んでいったわけではありません。電磁気力の到達距離は無限ですから、原子核から離れた場所を通過しても必ずその影響を受けます。原子核の左右を通ったアルファ粒子は横向きの力を受け、ゆるいカーブを描きながら抜けていきまし

[図24] ラザフォード実験

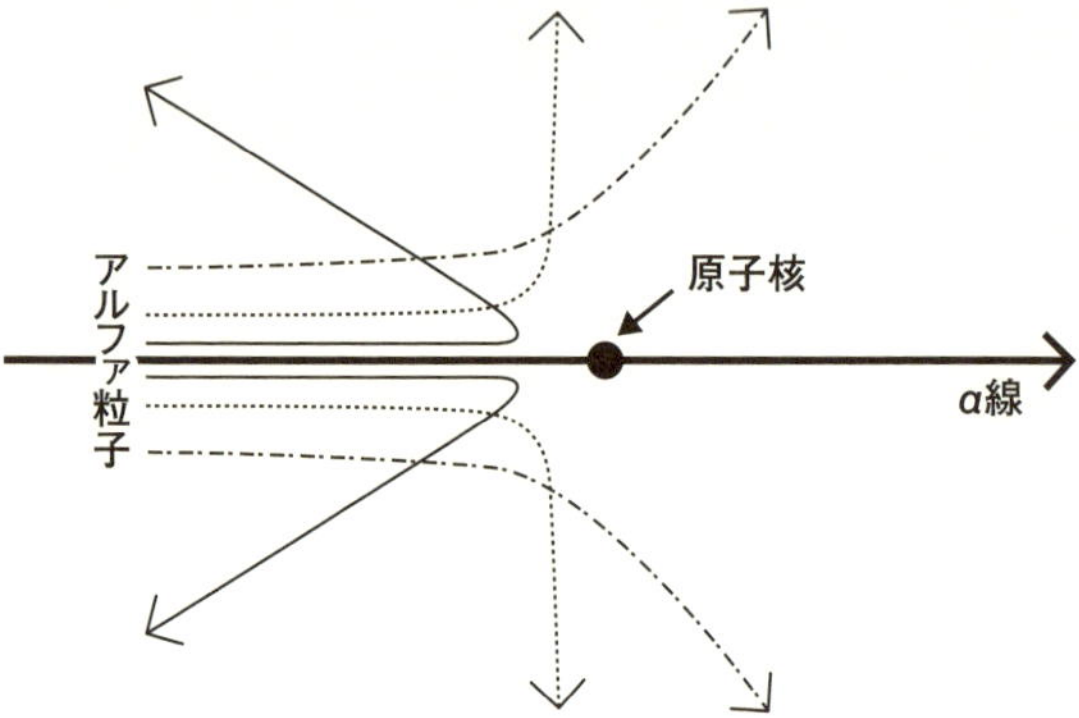

た。

金箔からまっすぐに跳ね返ったのは、原子核の真正面に向かって撃ち込まれたアルファ粒子です。「跳ね返る」というと、固い中心部に衝突して戻ってきたように感じるかもしれませんが、そうではありません。脇に逸《そ》れた粒子と同様、電気の反発力によって、飛ぶコースを「曲げられた」といったほうが正確でしょう。ほぼ正面からまともに反発力を受けた粒子が押し返され、180度近くまでコースを曲げて戻ってきたわけです。

電磁気力は粒子が光子を吸ったり吐いたりして伝わる

従来の電磁気学が説明する「力」は、以上のようなイメージでした。電磁場はいわば目に見えないバネのようなもので、それが引っ張り合ったり反発し合ったりしている——そんなふうに受け止めた人も多いでしょう。

しかし量子電気力学では、荷電粒子（電子や陽子など電荷を持つ粒子）のまわりに電場が生じるとは考えません。そこで「光子」を交換していると考えます。

量子電気力学のベースになっているのは、「量子場の理論（quantum field theory）」という考え方です。相対性理論に量子力学をぶつけたもの、言いかえると、物理学的な「場」を量子化する理論です。

「量子化」というからには、そこに「とびとびの値」が出てくることは、もう察しがつくでしょう。電磁場がバネだとして、そのバネの跳ね具合はプランク定数を含んだ値の整数倍になります。なぜなら、バネの正体は「光子」だからです。

再びラザフォードの実験を例にとると、標的となる金箔の原子核は、常に「光子」を吸ったり吐いたりしています。電磁気学で言う「電場」が、量子電気力学では光子の「雲」のようなイメージになると思えばいいでしょう。

ただし「光子」とは言いますが、光として目に見えるわけではありません。そのため「仮想光子」とか、「バーチャル光子」と呼ぶこともあります。

このあたりから、次第に話がファジーになってきます。でも、量子力学にはそもそもファジーな面があるので、そういうものだと思って聞いてください。

荷電粒子は光子を吸ったり吐いたりしますが、その光子をつくるにはエネルギーが必要です。それは、どこかから借りなければ手に入りません。どこから調達するかというと、これはもう、「そのへんから」としか言いようがありません。何もない空間からエネルギーを借りてきて、光子をつくります。荷電粒子がつくった光子を吐き出し、それをほかの荷電粒子が吸い込むことで、両者の間に力が働く。量子電気力学では電磁気力をこのような光子の交換として考えるのです。

乱暴な話だと思った人は、決して間違っていません。これは明らかなルール違反です。なぜなら、光子をつくる時点でエネルギー保存の法則を破っているからなんですね。でも、光子が吸い込まれた時点でエネルギーの貸し借りがなくなり、光子の交換の前後ではエネルギーが保存されています。光子の交換は非常に短い時間に行われるし、それでうまく説明がつくのだったら、ルールを破ってもよいことにしよう、と考えるわけです。

電磁気力の届く距離も不確定性関係で決まる

光子の交換とは、正規の手続きを経ずに会社の金庫からお金を借りた（というか勝手に持ち出した）ようなものですから、ルール違反がバレる前に借りたものを返さなければいけません。

金庫のお金を勝手に拝借した場合、金額の大きさによって、バレずに返せるタイミングは違います。昼休みに昼食代を拝借したぐらいなら、夕方、経理の人が金額を確認して金庫を閉めるまでにこっそり返しておけば、バレないでしょう。でも１００万円も持ち出したら、すぐにバレてしまうので、素早く戻しておかないといけません。

エネルギーも同じこと。借りたエネルギーが大きければ大きいほど、すぐに返さなければいけません。逆に言うと、返すまでの時間が短ければ短いほど、たくさんのエネルギーを使って光子をつくれるということです。

ここで、時間とエネルギーの不確定性関係を思い出してください。エネルギーの曖昧さの幅（ΔE）が大きいほど、時間の曖昧さの幅（Δt）は小さくなります。「不確定性が大きい」とは「大きさの幅が広い」ということ。これは「大きい値を取ることができる」という意味に読み替えることができますよね？　ですから、時間が短いほどエネルギーを大きくすることができるのです。

そして、エネルギーを借りてから返すまでの時間が短いということは、光速で走っても遠くまで行けないので、「距離が近い」ということにほかなりません。すなわち、距離が近い荷電粒子の間では、高エネルギーの光子をやりとりできるということです。

話をラザフォードの実験に戻しましょう。撃ち込まれたアルファ粒子の曲がり方は、原子核

[図25] バーチャルな光子

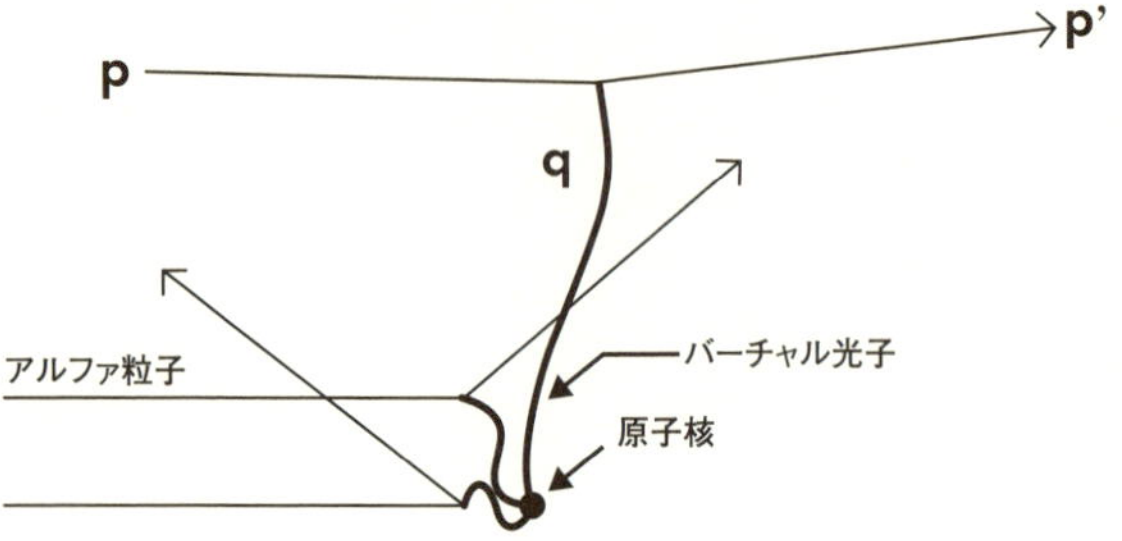

- ・原子核は「バーチャル光子」をいつも吐いたり吸ったりしている
- ・大きな運動量の光子はエネルギーがかかるので遠くまで行けない
- ・小さな運動量だと遠くまで行ける
- ・光子の運動量＝どのくらいアルファ粒子を「蹴飛ばす」か

に近づくほど大きくなりました。距離が近いほど、反発力が強いということです。それが何を意味しているかは、もうおわかりでしょう。

　原子核が借りたエネルギーは、吐き出した光子をアルファ粒子が吸い込んだところで「返した」ことになります。したがって、借りる時間が短い（つまり距離が近い）ほど、使えるエネルギーは大きくなる。そのため、原子核に近づいたアルファ粒子ほど、高エネルギーの光子を吸い込みます。その分「ガツン」と曲げられるわけです。逆に、原子核から遠いところにいるアルファ粒子が吸い込む光子は、あまりエネルギーが高くありません。それでは光子を吸い込んでもあまり曲がりません。これが曲がり方の違いの原因であり、

［図26］ファインマン・ダイアグラムの例

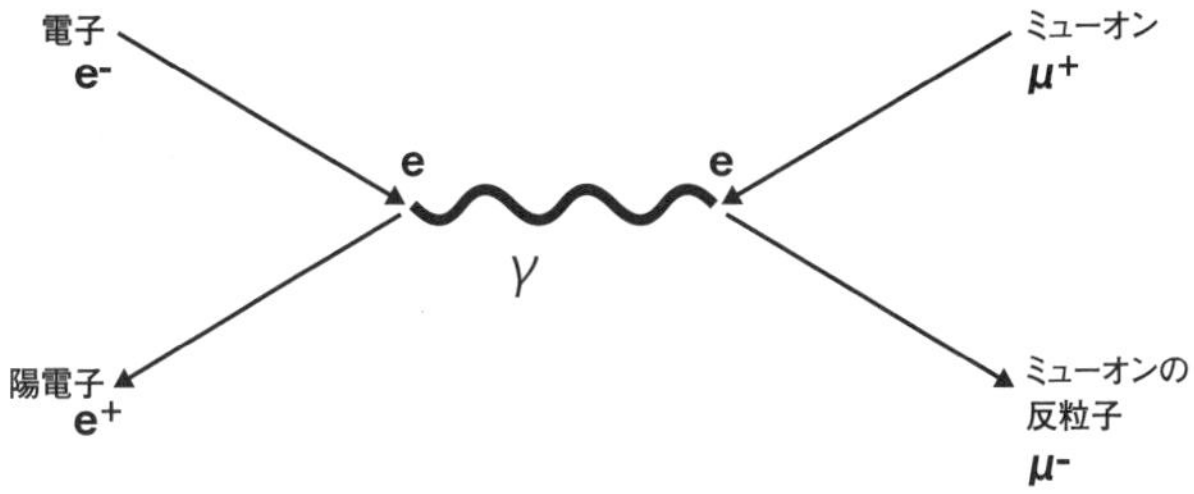

「伝わった力」の差なのです。

量子電気力学では、荷電粒子同士の相互作用を、このように「光子の交換」で説明します。これを図示するのが、「ファインマン・ダイアグラム」です。ファインマンは、朝永振一郎さんらとほぼ同時期に量子電気力学を完成させ、1965年にノーベル賞を共同受賞した物理学者です。

ファインマン・ダイアグラムは、ファインマン・ルールという計算式に基づいて描きますが、これを使うと、あらゆる素粒子の振る舞いをとてもシンプルに表すことができます。

たとえば、電子と陽電子がぶつかって消え、そのエネルギーがバーチャル光子になり、そのバーチャル光子がミューオンの粒子と反粒子に変わるまでを表したのが、ここに掲げたファインマン・ダイアグラムです。ご覧になればわかるとおり、この図では反粒子が時間を逆行することになっています。これはファインマン・ルールの1つなのですが、あまり真面目に考えると頭が混乱して気持ち悪くなるので（笑）、「そういうものか」とファジーに受け止めたほうがいいでしょう。私もあまり真面目に考えないことにしています。

物理学史上もっとも精密な理論値

ともかく、このダイアグラムのおかげで、いろいろなことがパワフルに計算できるようになりました。やや難しい話になるので読み飛ばしてもらってもかまいませんが、その中でもいちばん有名なのは、「電子の磁石」の強さに関する計算です。

クルクルと回転する電子は、それ自体がS極とN極を持つ磁石になり、その強さは「g因子」という単位で測られます。そして、相対性理論と量子力学を融合した理論で1933年にノーベル賞を受賞したディラックは、電子1つの磁石の強さを「g＝2」と理論的に予言していました。

しかし実際にg因子の大きさを計測してみると、ぴったりと整数の2にはなりません。0・1％ほどのズレがあったのです。

そのズレを理論的に説明したのが、量子電磁力学への貢献でノーベル賞を共同受賞した人た

[図27] 電子の磁石の強さを計算

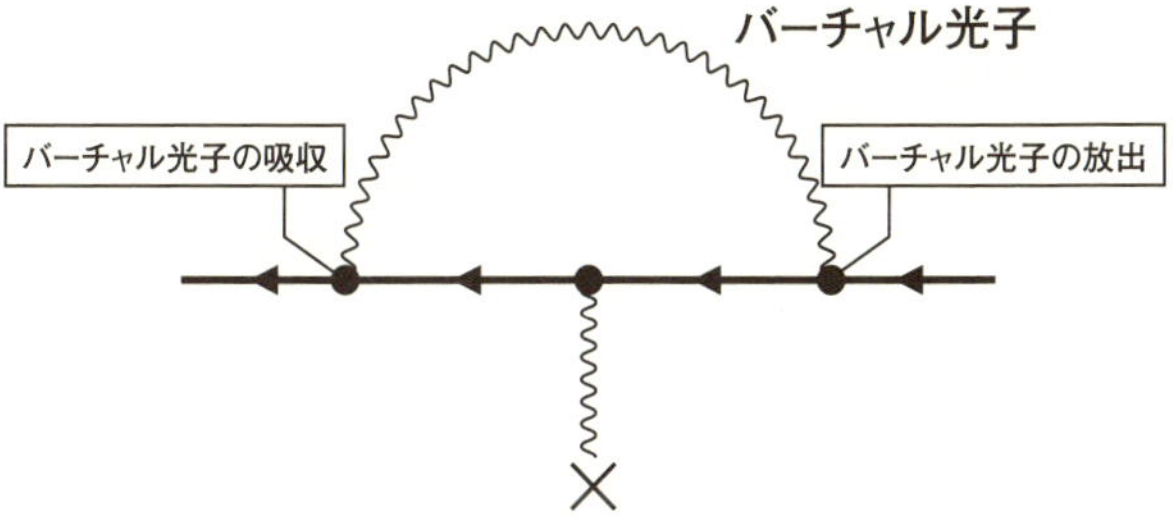

・スーパーコンピュータで891個のグラフを計算
・8次の補正＝精度1兆分の1!

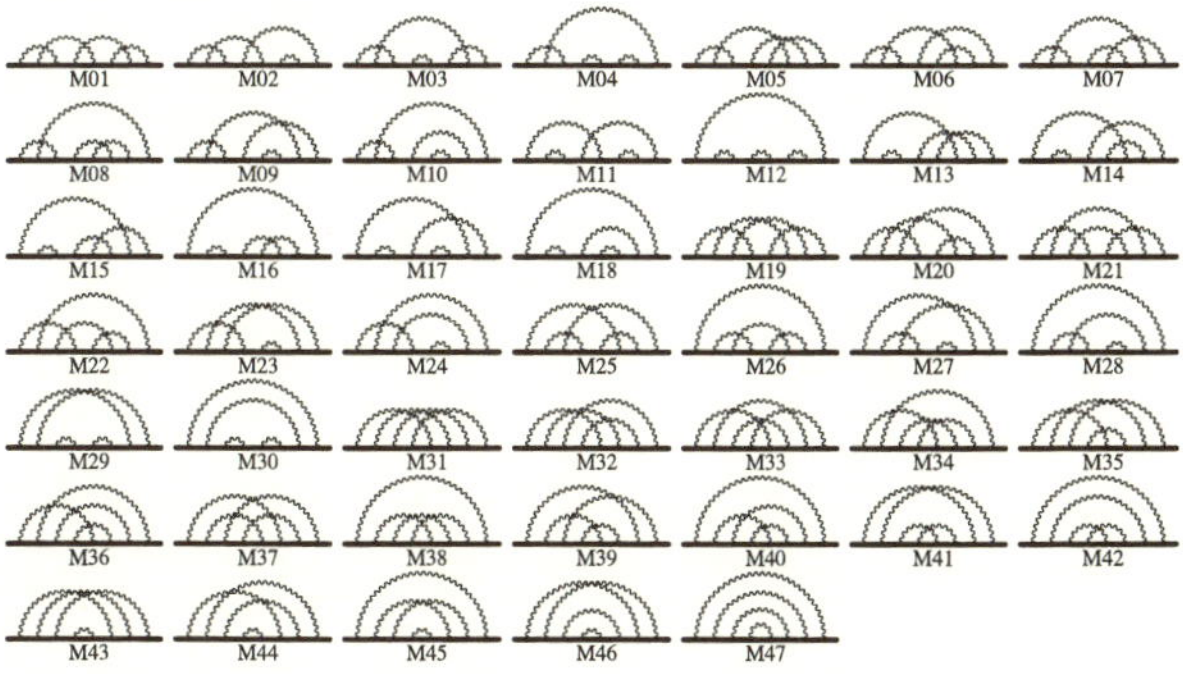

仁尾真紀子氏提供

ちでした。朝永振一郎、ファインマン、それにシュウィンガーの3人がほぼ同時期に指摘したのは、「バーチャル光子を放出した電子が、それを再び吸収することも考えなければいけない」ということです。

そのプロセスを図にしたのが、図27のファインマン・ダイアグラムです。いったん吐き出された光子が、元の電子に戻ることで「借金」を清算することもあるわけです。ディラックの理論は、それを考慮に入れていませんでした。

電子はしょっちゅうバーチャル光子をつくっているので、現実には、これが何度も起こります。そのたびにほんの少しずつロスが生じるので、理論値と実験値のあいだにズレが生じるわけです。計算でg因子を求める場合は、そのロスを前提にして理論値を補正しなければいけません。

詳しい説明は省きますが、それを8次まで補正して計算したのが、コーネル大学の木下東一郎教授のグループです。電子が吸い戻す光子が増えるほど計算は複雑になり、8次補正の場合、計算に使うファインマン・ダイアグラムはなんと891個。それをすべて計算して、最後に合計するわけです。

スーパーコンピュータで何カ月もかけて計算した結果、こんな理論値が出ました。

$g/2=1.0011596521 82$

一方、ハーバードの実験グループが出した計測値はこうです。

g/2=1.00115965218０

これはおそらく、物理学史上最高精度の一致でしょう。最後の桁が合っていないと心配になるかもしれませんが、実験にも理論にも若干の誤差があるので、これは完璧な一致ということができます。難解な話なので意味はよくわからないかもしれませんが、それでも、この精度の高さには誰でも感動できるのではないでしょうか。

バーチャルな光子の交換という話は、確かに眉唾《まゆつば》な感じがするところもあるのですが、それを受け入れさえすれば、すごいボーナスがついてきて、ここまで精密な予言能力を持つ理論をつくることができます。これが「量子場の理論」であり、量子電気力学の成果です。

第4章

湯川理論から小林・益川理論へ

強い力、弱い力

未知の粒子の重さまで予言していた湯川理論

さて、ここからは、日常生活では感知することのない力に関する話になります。ミクロの世界で働く、「強い力」と「弱い力」です。

先ほど、電磁気力がなければ私たちの体も成り立たないという話をしましたが、それは「強い力」「弱い力」についても同様です。重力や電磁気力と違い、そういう力があることさえピンと来ないと思いますが、これがなければ私たちの住む物質世界は成立しません。

電磁気力は原子と原子を結びつけて分子をつくるのに欠かせませんが、一方で、原子核をバラバラにしかねない存在でもあります。なぜなら、原子核を構成する陽子はプラスの電荷を持っているからです。水素原子は陽子1個なので問題ありませんが、それ以外の元素は原子核内にプラスの荷電粒子を複数個持っているのです。

ならば、アルファ粒子が原子核に跳ね返されたのと同じように、陽子同士が反発してバラバラになってもいいはずですが、陽子たちは、仲良く原子核内におさまっています。電磁気の斥力を上回る何らかの引力が働いて、陽子をくっつけているとしか考えられません。

それが、これから説明する「強い力」です。その存在が予想され、研究が始まった当初は「核力」とも呼ばれました。この力がなければ原子核がつくれません。いくら電磁気力が原子と原子をまとめようと思っても、肝心の（水素以外の）原子そのものが存在できないわけです。「強い力」を未知の粒子で説明したのが湯川理論だったことは、すでに何度か触れてきました。陽子と陽子が「中間子」を交換することで結びついていると考えたのです。

湯川理論がすぐれていた点の1つは、未知の粒子の「重さ」まで予言したことでしょう。質量が予言と一致していたために、アンダーソンはミューオンを中間子だと思い込んだわけですが、結局はそれが中間子発見につながりました。

湯川理論が中間子の重さを予言できたのは、その力の「到達距離」が短いことがわかっていたからです。電磁気力は無限の到達距離を持っていますが、すべての力がどこまでも届くわけではありません。原子核をまとめる力は電磁気力よりもはるかに強いのですから、もし遠くまで届くとしたら、たとえばラザフォードの撃ち込んだアルファ粒子が原子核に跳ね返されることもなかったでしょう。電磁気の斥力よりも強い引力を受けて、原子核にくっついてしまうはずです。

したがって、「強い力」が届く範囲は原子核の直径（10^{-15}メートル）程度だと考えられます。これは、その力を伝える粒子が重いことを意味しているんですね。

というのも、まず、荷電粒子がバーチャル光子をつくって電磁気力を生み出すのと同様、陽子もエネルギーを「寸借」して中間子をつくります。その力の到達距離が短いということは、借りたエネルギーを返すまでの時間が短いということにほかなりません。

すると、時間とエネルギーの不確定性関係から、借りるエネルギーは大きくなります。そして、エネルギーが大きいということは――相対性理論の「$E=mc^2$」を思い出してください――質量が大きいということなのです。

湯川粒子はアンデス山頂で見つかった

ミューオンはその予言どおりの重さでしたが、性質はどう見ても「電子のお兄さん」のようなものでした（第2世代ですから「弟」か「息子」とも言えますが、質量が電子よりも大きいという点では「年上」のような感じでしょう）。

それより何より、ミューオンは「強い力」を伝えません。それをたしかめたのは、イタリアの物理学者でした。ちょうど、イタリアがナチスに占領されていた時代のこと。ミューオンを調べた学者は、ナチスの弾圧から逃れ、地下に潜って研究を続けていたそうです。地面の下まで届くミューオンならではの話で、「地下に潜伏せざるを得ない不遇な物理学者でも実験はできる」ということですね。

ともかく、ミューオンは湯川理論が予言した中間子ではありませんでした。しかし予言どおりの重さの粒子があったということは、同じようなものがもう1つあるかもしれません。それが宇宙線の中から見つからないのはなぜか。

そこで、ある研究グループがふと気づきました。「中間子はミューオンよりも寿命が短いので地上まで届かないのではないか」というのです。

ミューオンは宇宙線から検出されましたが、実際に宇宙から降り注ぐ粒子はほとんどが陽子です。陽子が上空で空気の原子核と反応して、ミューオンができる。そこから地上に降ってくる（しかも相対性理論どおりに時間が遅れて寿命が延びる）ので、そんなに長生きの粒子ではないものの、地上に届くまで壊れません。ならば、中間子の寿命がミューオンより短いとしても、もっと高いところで探せば見つかる可能性があります。

そう考えたイギリスの物理学者パウエルは、なんと南米はアンデス山脈の山頂（標高約5000メートル）まで登りました。実験のためなら、地下にも潜るし山にも登る。それが物理学者というわけです。

そして1947年、その思い切った行動力の甲斐あって、強い力に反応する「湯川粒子」が見つかり、「パイ中間子（パイオン）」と名付けられました。宇宙から降ってきた陽子は、上空で窒素や酸素の原子核とぶつかってパイオンになります。しかし、その寿命はミューオンの100分の1程度しかないので、光速のおかげで時間が遅れても地上までは届きません。途中で壊れたパイオンが、ミューオンとなって地上にやって来るのです。

この発見があったおかげで、湯川さんは2年後の1949年にノーベル賞を受賞しました。発見したパウエルも、翌1950年に受賞しています。

新粒子発見ラッシュで研究者たちは大混乱

こうして強い力に反応する粒子が見つかったことで、原子核の美しい姿が明らかになりました。そこでは、陽子と中性子がパイオンを飛ばすことで結びついている――これですべてが解決したと思われたわけです。

でも、素粒子の世界はそんなに簡単なものではありませんでした。パイオンの発見後、素粒子物理学の分野は、「めでたしめでたし」と落ち着くどころか、逆に大混乱に陥ります。パイオン同様、強い力に反応する粒子が次々と見つかったからです。パイオン発見は「すべての終わり」ではなく、「始まりの終わり」にすぎなかったと言えるでしょう。

その背景には、高エネルギーの大型加速器が建設されたこともあります。1950年代から60年代にかけて、そこでは新しい粒子が続々と検出されました。ほとんど、「実験さえ行えば何かが見つかる」という状況です。

たとえば、のちに「デルタ」と名付けられた粒子は、パイオンを陽子にぶつける実験で検出されました。不確定性関係の説明をした際、「寿命の短い粒子ほどつくりやすい」という話をしましたが、このデルタはまさにそういう粒子です。生まれてから壊れるまで、わずか10^{-23}秒。強い力は名前どおり強力なので、せっかく実験室でつくってもすぐに壊れてしまうのです。

この時期に検出された新粒子は、多くがそういうものでした。寿命が短いとエネルギーをいくらか間違えてもつくれてしまうので、発見ラッシュになったという面もあります。いろいろな粒子をぶつけてみたら、一瞬だけ生まれて壊れてしまう粒子がたくさん出てきたわけです。

ふつう、学者たちは「新発見」に喜んだり興奮したりするものですが、当時は困惑のほうが大きかったのではないでしょうか。似たような性質の粒子が何種類も存在するのですから、それを「素粒子」とは呼べそうにありません。原子が素粒子ではなかったのと同じように、そこには内部構造がある可能性が高いのです。

この頃に見つかったさまざまな粒子は、それ以前から知られていたものも含めて、一括して「ハドロン」と名付けられました。「ベタベタと張り付く」というような意味のギリシャ語です。いずれも強い力に関係する粒子なので、そんな名前になったのでしょう。

ハドロンは、その重さによって、「メソン（中間子）」と「バリオン（重粒子）」の2種類に分かれます。陽子より軽くて電子より重いのがメソン（パイ中間子やK中間子など）、メソンより重いのがバリオン（陽子、中性子、ラムダ粒子、シグマ粒子、グザイ粒子など）です。また、強い力とは関係のない電子、ミューオン、ニュートリノなどは「レプトン（軽粒子）」と総称され、ハドロンと区別されます。しかし中間子の仲間やレプトンの中にまで陽子よりも重いものがやがて見つかり、この名前もはっきりした意味はなくなってしまいました。

「なぜか壊れない粒子」の謎をどう説明するか

ここで、同じ時期に発見された奇妙な粒子を紹介しておきましょう。当時は加速器の中で多くの粒子がつくられましたが、こちらは宇宙線の中から見つかったものです。粒子の観察に使う霧箱の中で「V」を逆さまにした軌跡を描くことから、「V粒子」と名付けられました。

このV粒子が奇妙だったのは、寿命がやけに長いことです。長いといってもおよそ10^{-10}秒ですから、一般的な感覚では「一瞬」なのですが、先ほどのデルタと比べれば13桁も長い。デルタの寿命をスローモーションで1年まで引き延ばしたとすれば、V粒子の場合、その一生を同じスピードで再生すると10兆年もかかるのです。

これは、当時の常識をひっくり返すものでした。

V粒子は、その反応の複雑さから見て、強い力でできたことは間違いありません。しかし強い力でできた粒子は、みんなデルタのように短命になると思われていました。それなのに、なぜV粒子はなかなか壊れないのか。そのとんでもなく長い寿命は、多くの物理学者を悩ませることになったのです。

そこで、この現象を説明する理屈として考え出されたのが、「ストレンジネス」（奇妙さ）という性質です。提唱したのは、日本の西島和彦さんとアメリカのゲルマンという研究者です。その発見はほぼ同時だったため、「ストレンジネス」に関する法則はのちに「西島＝ゲルマンの法則」と呼ばれるようになりました。

いきなり「ストレンジネス」と言われても何のことだかわからないでしょうが、これは一種の「保存量」のことです。実は素粒子物理学の世界では、「なぜか壊れない粒子」を説明するのに新しい保存量を（言葉は悪いですが）でっち上げるのは、このときに始まったことではありません。それ以前に、陽子についても同じことが行われました。

陽子の寿命は宇宙の歴史よりとんでもなく長い

陽子の寿命が問題になったのは、電子の反粒子である陽電子が発見されたときのことです。陽電子と陽子は、どちらも電荷がプラスです。そのため、「なぜ陽子は壊れて陽電子にならないのか」という疑問が生じました。というのも、粒子はふつう、同じ性質を持つ軽い粒子に壊れたがるからです。

その現象は、いわば水が高いところから低いところに流れるのと同じようなこと。質量が大きい粒子はエネルギーが多く、軽い粒子はエネルギーが少ないというのは、もうよくおわかりですよね？　そして、粒子はエネルギーが少ない状態のほうが安定します。だから、エネルギーが少ない（つまり質量の軽い）粒子になりたがる。たとえばミューオンも、性質がほとんど同じで質量の小さい電子に壊れます。

ところが陽子は、陽電子に壊れません。そこでシュトゥッケルベルクという物理学者が考え出したのが、「バリオン数」という保存量でした。何の証拠もないのですが、とにかくそれを保存しなければいけない、保存できれば壊れてもいいんだと考えようじゃないか、という話です。

で、陽子のバリオン数は「1」、電子や陽電子は「0」とされました。だとすれば、陽子はバリオン数の保存則を破らないかぎり、陽電子に壊れることができません。

なんとも強引な発想です。まさに「ためにする議論」としか思えないですよね？

でも、いまのところ、この説明が正しいことになっています。陽子が壊れないという事実を説明する理屈は、ほかにないのです。

もっとも、陽子が本当に壊れないかどうかもわかりません。壊れるところを観測しようという試みもあります。実は、日本がスーパーカミオカンデを建設した最大の目的がそれでした。あの巨大な地下施設は、バリオン数の保存則が破れて、陽子が崩壊するのを突き止めようとしているのです。

しかし、まだ陽子崩壊は観測されません。その結果、陽子の寿命は少なくとも10^{34}年よりも長いことがわかっています。ちなみに、宇宙の年齢は137億年。10^{10}のオーダーでしかありません。宇宙の歴史より、陽子の寿命のほうが24桁も長いのです。

ところで、バリオン数が1の粒子は陽子だけではありません。先ほど紹介した「バリオン」に分類される粒子はすべてそうです。一方、電子やミューオンなどのレプトンは「レプトン数」が1あり、それが保存されると考えられています。だから、ミューオンは電子に壊れることができるわけです。

思いつき自体がストレンジなストレンジネス保存の法則

話をV粒子に戻しましょう。

陽子の「バリオン」にあたる保存量として考えられたのが、「ストレンジネス」でした。ただし、どちらも「長寿」の理由を説明するものとはいえ、陽子とV粒子には大きな違いがあります。陽子の崩壊はまだ観測されていませんが、V粒子は10^{-10}秒後に壊れることがわかっているからです。つまり、陽子のバリオン数と違って、V粒子のストレンジネスは保存されていません。

そこでひねり出された理屈は、バリオン数をでっち上げたシュトゥッケルベルクのアイデア以上に、調子のいい話でした。ストレンジネスは、強い力では保存されるが、別の力では保存されないというのです。

その「別の力」とは何かというと、ここで登場するのが「弱い力」です。デルタのような粒子と違い、V粒子はストレンジネスがあるので強い力では崩壊しないが、やがて弱い力の作用で壊れてしまう——これが「西島＝ゲルマンの法則」の出発点でした。

その思いつき自体が「ストレンジ（奇妙）」だと、皮肉の1つも言いたくなります。でも、一見その場しのぎのように見えるアイデアが、後で正しいと証明されるのが、この分野の面白いところです。湯川さんの中間子理論にしても、当初は「何を言ってるんだ」と思う人はいました。

ストレンジネスも、いまではその思いつきが正しかったことがわかっています。その本当の意味が明らかになったのは、クォーク理論が提唱されてからのことでした。

陽子・中性子はクォーク3つ、中間子はクォーク2つ

さまざまな粒子が見つかって大混乱になった後、素粒子とは思えないハドロンの内部構造を探る中から出てきたのが、クォーク理論です。

この理論の先駆けになったのは、日本の坂田昌一さんが1956年に唱えた「坂田モデル」

でした。詳しい説明は省きますが、たくさん存在するハドロンがすべて素粒子だとは思えないので、陽子・中性子・ラムダ粒子の3つを基本粒子だと考え、ほかのハドロンとは区別する。それが坂田モデルの骨子です。3つめの「ラムダ粒子」とは、V粒子が「逆V字」に分かれた後の片割れです（もう一方はK中間子）。したがって当然、「ストレンジネス」を持っていると考えられます。

坂田モデルはハドロンの成り立ちをある程度まで説明できましたが、難点もいくつかありました。たとえば、ラムダ粒子はほかの粒子（シグマ粒子やグサイ粒子）とあまり違わないので、基本粒子として区別するのは無理があります。

そういった難点を解消するために考えられたのが、クォーク理論でした。ほぼ同じ時期にそれを提唱したのは、先ほどのゲルマンと、同じくアメリカのツワイクです。ちなみに「クォーク」という言葉を使ったのはゲルマンのほうで、ツワイクは同じものを「エース」と呼んでいました。

粒子の呼び名はゲルマン案が生き残ったわけですが、2人の基本的な主張に大きな差はありません。基本粒子を3つ想定するのは坂田モデルと同じですが、彼らはそれを、ハドロンよりも小さい別の粒子だと考えたのです。

余談ですが、ゲルマンは語学力がご自慢です。私が初めて会って自己紹介したときに、「オー、ビレッジ・マウンテン！」といきなり言われました。日本語もお得意のようです（笑）。

ゲルマンはそれを、アップクォーク（u）、ダウンクォーク（d）、ストレンジクォーク（s）と名付けました。その理論によれば、すべてのハドロンはこの3つ（およびその反粒子）の組み合わせでできています。バリオンはクォーク3つで、メソンは2つ。おもなハドロンの構成は、次のとおりです。

・バリオン　陽子＝uud　中性子＝udd　ラムダ粒子＝uds
・メソン　パイ中間子＝u・反d　K中間子＝u・反s

ここで「ストレンジネス」の正体が明らかになりました。V粒子から生まれたラムダ粒子にはストレンジクォーク、一方のK中間子にはストレンジクォークの反粒子が含まれています。ストレンジネスとは、ストレンジクォークの数だったんですね。強い力はクォークの種類を変えないので、「ストレンジネス」は保存されます。

このストレンジクォークがアップクォークに変わると、ラムダ粒子は崩壊します。でも、その反応は弱い力によるもので、強い力では起きません。それが、V粒子が長生きする理由なの

[図28] ゲルマンのクォーク理論

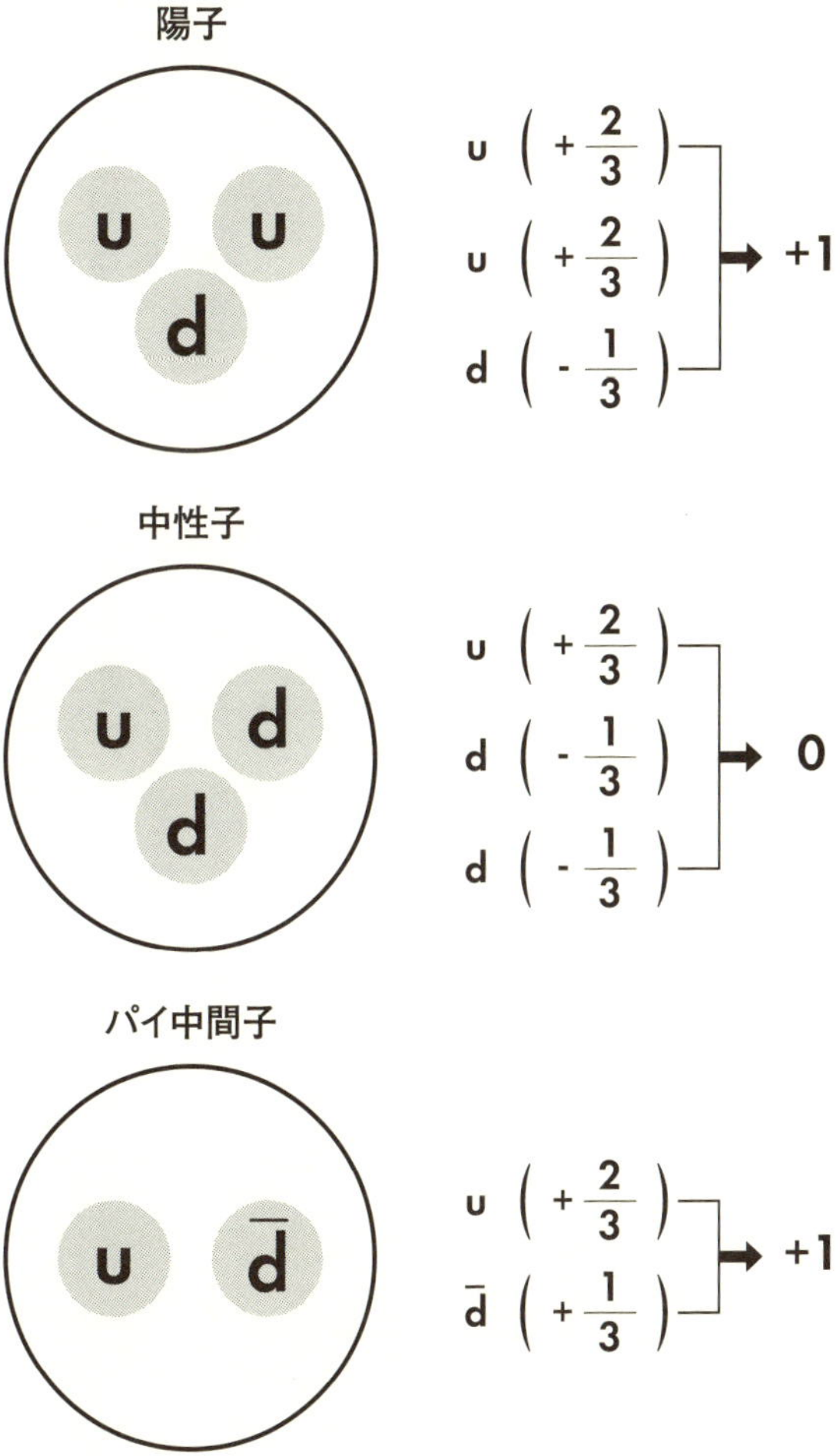

です。

3つの色がついている？　単独では取り出せない？

とはいえ、このクォーク理論はあくまでも仮説にすぎません。説明としては大変よくできているのですが、素直に受け入れがたい点も少なくありませんでした。

まず、クォークの持つ電荷が不自然です。

この理論では、アップクォークはプラス$\frac{2}{3}$、ダウンクォークとストレンジクォークはマイナス$\frac{1}{3}$の電荷を持つとされました。したがって、たとえば「ｕｕｄ」の組み合わせだと電荷はプラス１（$\frac{2}{3}$プラス$\frac{2}{3}$マイナス$\frac{1}{3}$）。陽子の電荷と合っています。

中性子は「ｕｄｄ」の組み合わせなので電荷は０（$\frac{2}{3}$マイナス$\frac{1}{3}$マイナス$\frac{1}{3}$）。また、パイ中間子は電荷がプラス１なのですが、こちらは「ｕ」と「反ｄ」の組み合わせですから、これもたしかに計算は合います（$\frac{2}{3}$プラス$\frac{1}{3}$　反粒子は電荷が逆）。

しかし、どうも辻褄合わせの理屈のように感じてしまいますよね？　そもそも$\frac{2}{3}$や$\frac{1}{3}$の電荷というのが、いかにも半端な感じです。ジグソーパズルのピースが見つからないので、無理やり自分でつくったような印象があるのは否めません。

また、「スピン」についても不可解な点がありました。クォークのスピンは半整数です。それが3つ集まれば全体のスピンも半整数になるので、陽子のスピンとも合います。だからそれはいいのですが、クォーク理論では、その半整数スピンのクォークが、3つとも同じところに詰め込めることになっていました。しかし、これは前に説明したパウリの排他原理に反します。スピンが半整数のフェルミオン（物質を構成する粒子。クォークもフェルミオンの仲間です）は、スピンの向きや電荷の状態が同じ粒子を同じところに詰め込めない、というのがパウリの排他原理でした。

この問題については、こんな「言い訳」がつけられました。クォークには「色」がついており、それは「赤」「緑」「青」のいずれかである。色の状態が違うので、同じところに入っていてもいいのだ、というのです。もちろん、これは比喩的な概念で、実際にクォークに色がついているわけではありません。

色が赤と青と緑であることにも意味があります。これは「光の3原色」です。光の3原色が重なると、色がキャンセルされて白くなりますよね？　テレビの白い色はまさにこの原理を使って出します。バリオンを構成するクォークもそれと同じように、3つの色が揃うと「白」になります。そしてクォークは常に色が白になるように振る舞います。すなわち、クォークは単色の状態では存在できず、したがってクォークを単独で取り出すことはできません。

メソンの場合も同様です。中間子はクォークと反クォークで構成されますが、これは色で言うと、「赤と反赤」「緑と反緑」「青と反青」の組み合わせです。「反赤」とは赤の補色なので、2つが重なるとやはり「白」になります。

クォークの性質を色の類推で考える理論を、量子色力学とも呼びます。面白い着想ではありますが、色が3つあるとか、単独では取り出せないとか、いきなりそんなことを言われても、すぐに信じるわけにはいきません。「色」の概念を最初に提唱した1人が南部陽一郎さんでした。ちなみに南部さんが2008年にノーベル賞を受賞したのは別の功績が評価されてのことです。

クォーク理論を裏付けた「11月革命」

クォーク理論は当初、かなり疑《うたぐ》り深い目で見られていました。従来の理論と合わない部分がいくつもあるので、「どうも気持ちが悪い」と嫌がられていたといったほうがいいでしょうか。しかしその後、理論を裏付ける実験結果が次々と発表され、研究者たちも受け入れないわけにはいかなくなってきます。

まず行われたのは、加速した電子を、陽子にぶつける実験です。

電子は強い力に反応しないので、「強い力を調べるのに電子を使ってどうするんだ？」とバカにした人もいましたが、これはとても良い実験でした。というのも、強い力に反応する粒子同士をぶつけると、どちらも変化するので、両方が観測の対象になります。しかし電子は強い力と関係ないので「調べられる対象」にならず、「調べる道具」としての役割がはっきりする。ごちゃごちゃといろいろな現象が起きないので、陽子の状態だけをしっかり調べることができるわけです。

で、高エネルギーで加速した電子を陽子にぶつけてみると、ラザフォードの実験と同じようなことが起こりました。ときどき、陽子を素通りせずにガツンと跳ね返る電子があったのです。陽子に「内部構造」があることは明らかでした。

でも、それだけでは、その内部構造がクォーク理論どおりのものだということにはなりません。それに、理論と矛盾するように見える点もありました。電子がぶつかったときに、陽子内の粒子が自由に動いているように見えたのです。

理論によれば、クォークは単独では取り出すことができません。文字どおり強力な「強い力」に閉じ込められている状態です。そんなクォークがほとんど自由粒子のように振る舞うのは、おかしいわけです。

しかし1974年11月、そういった疑惑を吹っ飛ばす革命的な実験が行われました。実際、これは物理学者たちのあいだで「11月革命」と呼ばれています。

革命の舞台は、2カ所ありました。1つは、アメリカの東海岸。ニューヨーク州ロングアイランドにあるブルックヘブン国立研究所（ＢＮＬ）では、サミュエル・ティン率いるチームが、標的に陽子をぶつけて電子と陽電子を生じさせる実験を行っていました。

もう１つの舞台は、同じくアメリカの西海岸です。スタンフォード大学がカリフォルニア州メンロパークに設立したスタンフォード線形加速器センター（ＳＬＡＣ）で、バートン・リヒター率いるチームが行っていたのは、ＢＮＬとは逆のパターン。電子と陽電子を衝突させて、ハドロンを生じさせる実験でした。

正反対のアプローチですが、この両者がほぼ同時に、同じ粒子を発見します。先に論文を提出したのは、東海岸のチーム。日付は11月12日です。彼らは非常に寿命の長いメソンを検出し、それが電子と陽電子に崩壊するのをたしかめました。リーダーのティンという名は漢字で「丁」と書き、アルファベットの「Ｊ」と似ているので、彼らはその粒子を「Ｊ粒子」と名付けます。

西海岸のチームが論文を提出したのはその翌日、11月13日のことでした。やはり寿命の長いメソンの検出に関する内容で、こちらの名は「プサイ粒子」。論文集では、東海岸のＪ粒子が１４０５ページ、西海岸のプサイ粒子は１４０６ページに掲載されています。まさに「タッチの差」の勝負でした。

同じ粒子なので、このとき発見されたメソンは「Ｊ／プサイ中間子」と呼ばれています。その発見を受けて、世界中の物理学者が大騒ぎになりました。

もちろん、新しいメソンの発見自体は、さほど珍しいことではありません。しかしこれは、数年前から存在が予測されていた新しいクォークの発見を意味していました。J／プサイ中間子は、チャームクォークと反チャームクォークから成るメソンだったのです。

東西のリーダー、ティンとリヒターには2年後にノーベル賞が与えられました。1日遅れだった西海岸チームも同じように評価されたわけです。ただし、「タッチの差」で涙を呑んだ人たちもいました。実は、先ほどの論文集には、1407ページにも同じメソンに関する論文が載っています。日付は、11月18日です。気の毒なことに、このイタリアのチームはノーベル賞を受賞できませんでした。

強い力を伝えるのはグルーオン

チャームクォークの発見が何を意味するかは、すでにおわかりでしょう。これで、「第2世代」のフェルミオンが揃いました。ストレンジクォークは第1世代のダウンクォーク、チャームクォークは同じく第1世代のアップクォークの「お兄さん」的な存在です。理論的な予測どおりの粒子が発見され、ここまできれいに分類できるとなると、もう、誰もがクォーク理論を認めざるを得ません。

それを認めたところから、強い力に関する研究も大きく前進しました。クォークの存在を認めれば、当然、「色」の説明も受け入れることになります。そして、クォークの「色」とは、半整数スピンなのにパウリの排他原理に従わないことを説明するだけのものではありません。そもそも南部陽一郎さんが「色」の概念を持ち出したのは、それが強い力の源泉だと考えたからなのです。

「量子色力学」では、クォークの「色」を、電磁気力における「電荷」のようなものと見なします。

電荷はプラスとマイナスの2種類（正確には、プラス電荷の粒子はマイナス電荷の粒子の反粒子なので、電荷は1種類）ですが、クォークが持っている「色荷（カラーチャージ）」は赤・緑・青の3種類。その「色荷」をやりとりすることで、クォークとクォークのあいだに強い力が生まれるのです。

では、それはどのように伝わるのでしょうか。そこで力を媒介するのは、電磁気力と同様、粒子（ボソン）です。その名は「グルーオン」。「糊《のり》」（グルー）を意味する言葉ですから、強い力に似合いの名前です。荷電粒子が光子を吸ったり吐いたりするように、クォークもこのグルーオンを吸ったり吐いたりすることで力を伝え、結びついているのです。

その意味で、強い力を「中間子のやりとり」で説明した湯川理論は、根本的な意味での正解ではありませんでした。しかし、原子核内で起きていることを少し遠くから見れば、中間子が大きな役割を果たしていることは間違いありません。

実験でクォークの存在を確認する場合も、(なにしろクォークは取り出すことができないので)実際に「見えている」のは、クォークと反クォークがつくる中間子がほとんどです。チャームクォークが確認された2つの実験(実は3つめもありましたが)も、発見されたのはJ／プサイ中間子でした。

クォークを取り出せないのはグルーオンの色荷のせい

クォークを取り出すことができないのは、強い力を伝えるグルーオンが、それ自体も「色荷」を持っていることが原因です。電磁気力を伝える光子は電荷を持たないので、光子が光子をつくることはありません。しかしグルーオンには「色荷」があるので、グルーオンがグルーオンを吸ったり吐いたりできるんですね。

この現象は、日本のトリスタンという加速器による実験で初めて確認されました。これによって、クォーク同士だけでなく、グルーオン同士にも強い力が働くことがわかったのです。

ですから、ハドロンからクォークを取り出そうとして引っ張ると、クォークとクォークのあいだを行き来するグルーオンたちがお互いを強い力で引っ張り合います。このときはたらく力

［図29］トリスタン加速器（電子・陽電子コライダー）

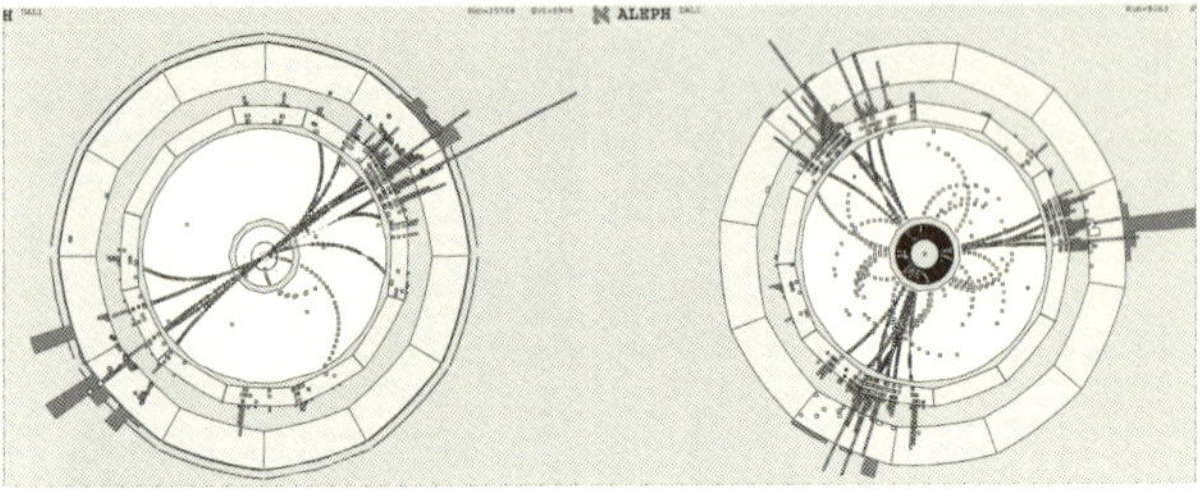

電子と陽電子の衝突から
クォークと反クォークが
生まれたところ

できたクォークと反クォークが
さらにグルーオンを放出したところ

Credit:CERN

は、クォークとクォークの距離が離れるほど、すなわちクォークのエネルギーが小さくなるほど（時間とエネルギーの不確定性関係）、強くなる力です。ちょうど、2つのクォークがグルーオンを束ねたゴム紐でつながっているのをイメージするといいでしょう。ゴム紐は、伸ばせば伸ばすほど引っ張る力が強くなりますよね？

　というわけで、距離が離れるほど結びつきが強くなるので、クォークはハドロンの中に閉じ込められ、外に出ることができません。無理やり引きちぎることもできますが、その場合、分離されたクォークはすぐに反クォークと結びついて中間子をつくります。いずれにしろ、クォークは常にハドロンの中に閉じ込められているわけです。

また、近い距離で見るとゴム紐がたるんでしまって力が働きません。それでエネルギーを高めるほど（＝距離が近くなるほど）クォークがほぼ自由に動きます。

電子を陽子にぶつける実験で、閉じ込められているはずのクォークがまるで自由粒子のように動いて見えたのは、このためでした。電子が衝突したときのエネルギーがあまりにも高かったので、その瞬間だけ力が弱くなったのです。

クォークが元気だから体重が増える？

こうして、強い力の仕組みはおおむね解明されました。ちなみに、陽子や中性子の質量は当然それを構成するクォーク3つの合計になるわけですが、これはクォークの運動エネルギーの合計です。ハドロンの内部では、クォークがグルグルと動き回っているんですね。「$E=mc^2$」の公式どおり、そのエネルギーが質量としてカウントされるのです。

もちろん私たちの体もハドロンのかたまりみたいなものですから、全身でクォークが運動しています。ですから、ダイエット中なのに体重が増えてしまったときは、「今日はちょっとクォークが元気なんだ」と言い訳しましょう（笑）。そう考えると、クォークや強い力も身近な存在に感じられると思います。

太陽が燃えているのは弱い力のおかげ

次に説明するのは「弱い力」です。「弱い力」も、私たちの生活と無縁ではありません。「中性子のベータ崩壊などの放射性崩壊を引き起こす力」と言われると、遠い別世界の話のように思う人も多いでしょう。でも、実はこの力が私たちの世界を支えていると言っても過言ではありません。弱い力がないと、太陽は燃えないからです。

ベータ崩壊は、中性子が陽子に変わり、それと同時に電子とニュートリノを放出する現象でした。一方、太陽の中では4つの水素原子のうち2つが中性子に変わってヘリウム原子になり、陽電子とニュートリノが放出されています。かたや「中性子→陽子」、かたや「陽子→中性子」と方向は逆ですが、それを引き起こすのはどちらも同じ力。太陽が毎秒50億キログラムもの質量をエネルギーに変えてくれるのは、弱い力のおかげなのです。

では、その力の正体は何か。ここまでの話をお聞きになったみなさんは、もっと具体的な質問ができるでしょう。電磁気力は光子、強い力はグルーオンが媒介するのがわかっているのですから、ここで問題になるのは、「弱い力はどんな粒子が媒介するのか?」ということです。

それを探る上で物理学者たちが手がかりにしたのは、強い力と同様、「重さ」でした。湯川理論では、強い力の到達距離が短いことから、中間子の質量を予言しましたよね? 実は、弱い力の届く距離は強い力よりもはるかに短いことがわかっていました。強い力は原子核の直径

（10^{-15}メートル）しか届きませんが、弱い力の到達距離はその1000分の1程度です。前に、原子が野球場だとすると原子核の大きさはボール程度だと言いましたが、そのさらに1000分の1ですから、野球場に落ちている髪の毛1本ぐらいのサイズでしょうか。もちろん髪の毛の「長さ」ではなく「太さ」です。

それしか届かないとすれば、その力を運ぶ粒子は中間子と比較にならないほど「重い」と予想されます。そしてすでにお話ししたとおり、重い粒子ほど加速器での検出が難しい。

そのため、弱い力を伝えるボソンは、発見までにたいへん時間がかかりました。その存在が理論的に予言されたのは、1950年代。発見されたのは15年後の1983年でした。

月とTGVまで発見してしまった大型加速器

弱い力を伝えるボソン（ウィークボソン）を初めて検出したのは、CERN（欧州原子核研究機関）にあった大型加速器です。陽子と反陽子を衝突させる円形加速器で、全周は7キロメートルでした。反陽子は自然界にないので、まず加速器を使ってつくってからきれいにまとめて改めて加速器に入れるというたいへん手のこんだ装置が必要でした。

その後CERNに建設されたLEPという加速器では、さらに精密にウィークボソンを観測できるようになりました。LEPは電子と陽電子を衝突させるタイプの加速器で、全周は27キロメートルです。

これだけ巨大な装置だと、実験には思いもかけない苦労が伴います。まず関係者が頭を悩ませたのは、実験中になぜかエネルギーにズレが生じてしまうことでした。あらゆる条件を考慮に入れて計算しているはずなのに、電圧が正しくコントロールできない。精度は加速器実験の最重要ポイントですから、これは大問題です。

さんざん考えた挙げ句にわかった原因は、「月」でした。潮の満ち引きを見ればわかるとおり、地球上には月の重力が影響を及ぼしています。CERNの加速器はあまりにも大きいため、月に引っ張られてわずかに形が歪んでいました。そのために精度が落ち、エネルギーがズレてしまったのです。ある意味で、この加速器は月を「見つけた」とも言えるでしょう。

この加速器が「見つけた」のは、月だけではありません。

月の重力を踏まえて計算を補正した後も、ある時間帯だけ電圧がフラついてしまい、関係者は再び頭を抱えました。なぜうまくいかないのか、まったくわかりません。しかし、ヒントはその「時間帯」にありました。真夜中から朝5時まではエネルギーが安定しているのに、朝5時から真夜中まではブレていたのです。これは、人間の活動と何か関係しているに違いありません。

終電や始発の世話になることの多い人は、ピンと来るでしょう。そう。朝5時から真夜中ま

[図30] 弱い力が引き起こすベータ崩壊

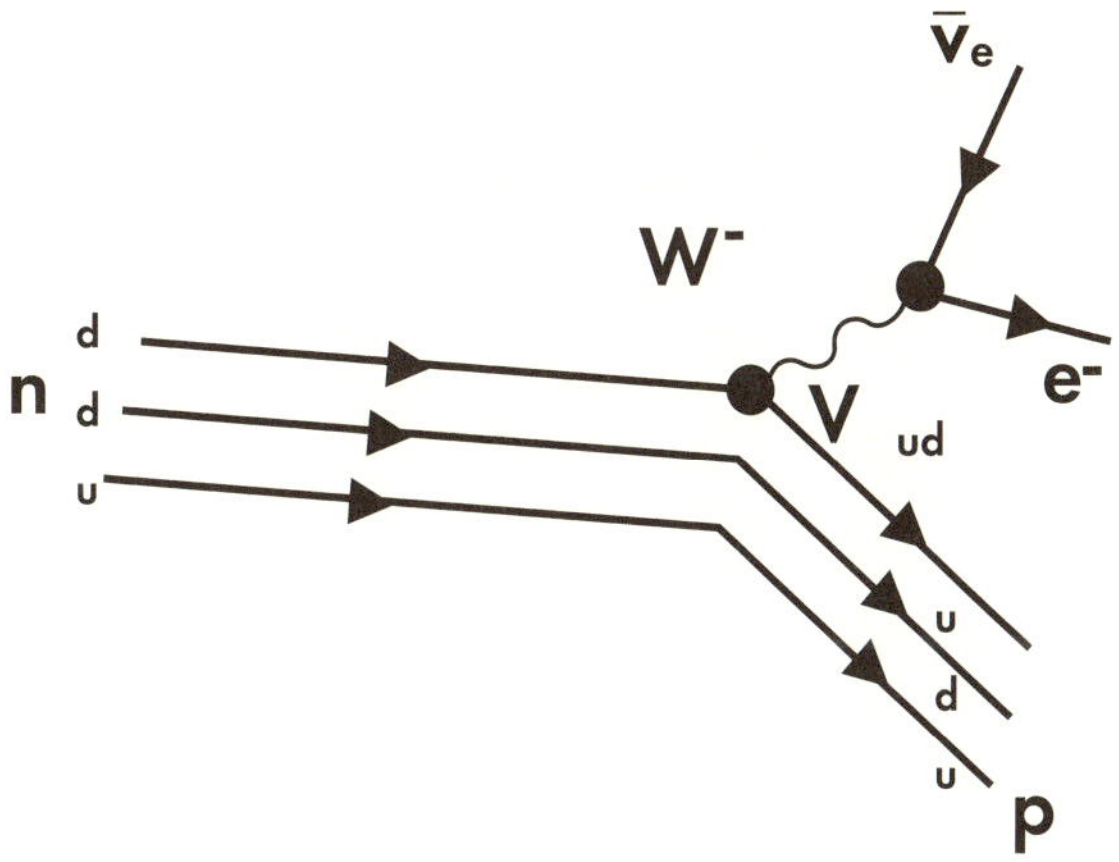

で言えば、電車が走っている時間帯です。そして、この実験施設の近くには、パリとジュネーブを結ぶTGVという高速鉄道が走っていました。日本の新幹線みたいなものです。これが走ればレールに電気が通ります。それが近くの川に漏れていたのですが、その川の水は加速器の冷却に使われていました。

これが、不具合の原因です。実際、エネルギーのブレる時間は、TGVの通るタイミングとぴったり一致していました。大型加速器は、TGVも「発見」したわけです。

弱い力を伝えるのはWボソンとZボソン

ウィークボソンには、電荷を持つ「Wボソン」と電荷を持たない「Zボソン」の2種類があり、「Wボソン」には電荷がプラスのものとマイナスのものがあります。

そのうち、中性子のベータ崩壊を引き起こすのは、電荷がマイナス1のWボソンです。

中性子を構成するクォークは「ｕｄｄ」（アップクォーク1、ダウンクォーク2）でしたよね？ ベータ崩壊は、この2つの「ｄ」の1つがマイナスのWボソンを放出することで起こります。「ｄ」の電荷はマイナス$\frac{1}{3}$ですから、「マイナス$\frac{1}{3}$マイナス〈マイナス1〉」で、Wボソンを放出した後の電荷はプラス$\frac{2}{3}$、つまり、「ｄ」が「ｕ」に変わるわけです。これで、「ｕｄｄ」だった中性子が「ｕｕｄ」の陽子に変わりました。そして放出されたWボソンは、すぐに電子と反ニュートリノに崩壊する。これがベータ崩壊です。

太陽の中で陽子が中性子に変わる（水素原子4つからヘリウム原子ができる）現象は、これと逆のことを考えればいいでしょう。陽子の「ｕ」がプラスのWボソンを放出すると、電荷がプラス$\frac{2}{3}$からマイナス$\frac{1}{3}$になるので「ｄ」になり、中性子（ｕｄｄ）になるのです。

パリティを保存しない「タウ－シータの謎」

さて、力を伝える粒子は発見されましたが、それで弱い力の全容が解明されたわけではありません。この力には、それ以前から大きな謎がありました。ほかの3つの力——重力、電磁気力、強い力——には通用するある保存則を、弱い力だけは破っているのです。

やや唐突ですが、みなさんは「右」と「左」の本質的な違いについて考えたことがあるでしょうか。もちろん誰だって、どちらが右でどちらが左かは知っています。しかし、その本質的な意味を説明しろと言われたら、困るはずです。

「お箸を持つほうが右手だ」と言うかもしれませんが、その人が食事をしている姿を鏡に映した場合、鏡の中の人は左手でお箸を持っています。それでもふつうに食事はできるわけですから、これは本質的な違いとは言えません。それどころか、この世界全体を完全に左右逆転させても、とくに不都合は生じないでしょう。

たとえば、宇宙のどこかに地球のパラレルワールドのような惑星があるとします。そこにはほとんど地球と同じ風景が広がっていますが、左右はすべて逆。右利きより左利きのほうが圧倒的に多く、時計の針は左回りで、野球のランナーは右回りでベースを走っています。地球人の目から見れば、違和感があるでしょう。

でも、その星の人たちに「この世界はおかしい」と言ったところで、ピンと来ないはずです。左右が反対でも、その世界は地球と何も変わらないからです。左と右は区別はあっても、その違いは説明できない。要は「どちらでもいい」のです。

物理学でも、昔はそう考えられていました。どんな物理現象も、左右を逆にしたときに法則が変わることはありません。自然界は左右を区別しないのです。重力や電磁気力や強い力も同様です。そこには左右という概念がないので、空間を反転させても物理法則は変わりません。

量子力学では、この空間反転のことを「パリティ変換」と呼び、左右を入れ替えてもパリティは不変だとされてきました。これが「パリティの保存則」です。

まともに説明すると波動関数などが出てきて難解になるので簡単にお話ししますが、とにかく、粒子には「パリティ」という属性があると思ってください。そのパリティにはプラスとマイナスがあって、これは粒子が崩壊した後も変わりません。たとえばベータ崩壊の前後でエネルギーが保存されているのと同じように、パリティも保存されるのです。

ところがあるとき、この保存則にしたがわない現象が見つかりました。宇宙線の中から発見され、多くの物理学者の頭を悩ませたのは、「タウ」と「シータ」という粒子です。

2つの粒子は、それぞれ弱い力によって複数のパイオンに崩壊しました。タウ粒子のほうはパイオン3つに崩壊。パイオンのパリティはマイナスで、パリティはかけ算で合算するので、トータルはマイナス×マイナス×マイナスでマイナスになります。したがって、崩壊前のタウ粒子もパリティはマイナスのはずです。

一方のシータ粒子は、パリティがマイナスのパイオン2つに崩壊しました。マイナス×マイナスですから、こちらはトータルでプラスになります。したがって崩壊前のパリティもプラス。パリティという性質が逆なのですから、タウとシータは別の粒子だと誰もが思いました。

しかし不思議なことに、両者をよく調べてみると、質量と寿命がまったく同じ。この2つは別々に見つかった粒子ですから、こんな偶然はちょっと考えられません。物理学者としては、どうにかして理論的に説明したい。これが「タウ - シータの謎」です。

「右」と「左」には本質的な違いがあった!

この謎に対して、アメリカで研究していた2人の中国人物理学者ヤンとリーが、1956年に大胆なアイデアを発表しました。その仮説によれば、タウとシータは同じ粒子です。ならば、質量と寿命が同じなのは不思議でも何でもありません。ごく当たり前のことです。

でも、そうなると不思議なのは、パリティの違いです。ヤンとリーは、そもそもタウとシータのパリティに違いはないと考えました。それなのに崩壊後のプラスとマイナスが逆になるのは、パリティが保存されないからだというのです。

つまり、弱い力はパリティの保存則を破る——それが彼らの基本的な主張でした。保存則にしたがわないなら、弱い力に反応した粒子のパリティは、プラスにもマイナスにもなり得るわけです。それはたしかにそうですが、ほかのどの力も破れないパリティを弱い力だけが破るというのは、にわかには信じられません。

しかしその翌年には、同じくアメリカで活動していた中国人のウー女史が、彼らの仮説を裏付ける実験を行いました。非常に精密な実験を得意としていた学者です。

彼女が行ったのは、コバルト60の原子核の回転方向を揃えて、ベータ崩壊で飛び出す電子の方向を調べる実験でした。磁石で強力な磁場をつくって原子核の向きを揃えるのですが、当時の技術ではかなり難しい作業だったと思います。エネルギーが高いと反対に回転する原子核が出てきたりするので、温度もかなり下げなければいけません。

そうやって原子核の向きを揃えた状態で、電子の飛び出す方向を調べたところ、鏡に映した世界と「こちら側」の世界を区別できることがわかりました。「こちら側」の世界では、原子核が左巻きにスピンするとき、電子は下向きに多く出ます。鏡の中では「スピン」は右巻きですが、電子はやはり下向きに多く出ます。もしパリティが保存されているなら、スピンの向きに関係なく電子は上にも下にも同じように出るので、ここではパリティが保存されていません。これは、ヤンとリーの理論とも合致していました。彼らの仮説を突き詰めていくと、弱い力に反応するのは「左巻き」の粒子だけだという結論になるのです。

これは実に衝撃的な結果でした。自然界の法則が右左を区別する、つまり「右」と「左」には本質的な違いがあるということを意味しているからです。

そうなると、先ほどのパラレルワールドも話が違ってきます。弱い力は、地球上だけで働くものではありません。その法則は、宇宙全体に共通です。それなのに、もし地球とは左右反対

[図31]ウー女史の実験

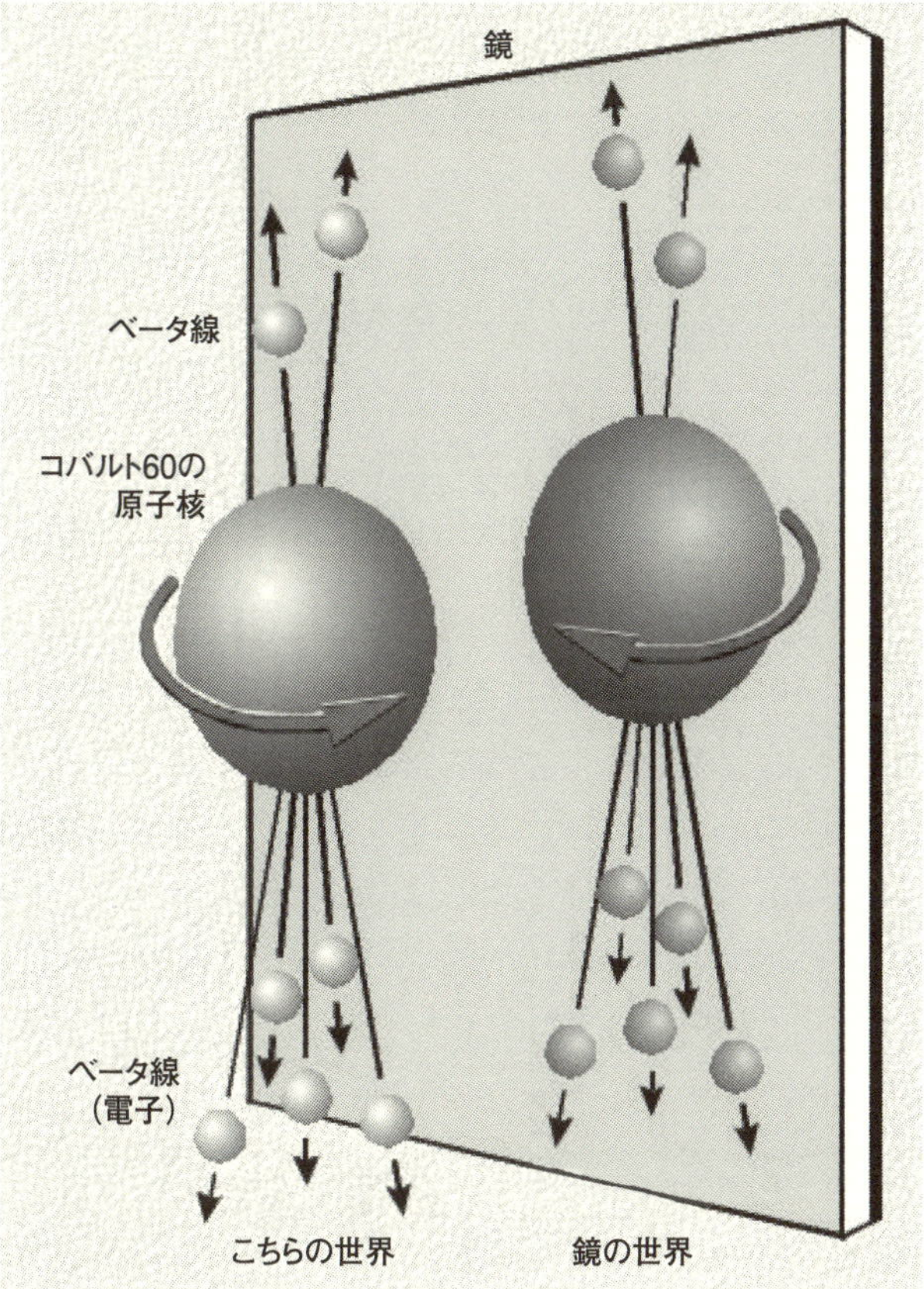

の惑星でベータ崩壊も「右」に偏っていたら、「それは弱い力の法則に反しているからおかしい」と言えるわけです。右と左は「どちらでもいい」ものではありません。弱い力が働くほうが「左」。それが宇宙のルールなのです。

「CP対称性の破れ」を説明した小林・益川理論

その後、弱い力にだけ反応するニュートリノがすべて「左巻き」（飛んでいくニュートリノを後ろから見ると反時計回りに回転している）ということもわかりました。右巻きのニュートリノの存在を許さないほど、パリティは大きく破れているわけです。こうなると、弱い力がパリティを保存しないことを誰もが認めざるを得ません。

でも物理学者にとって、保存則が破られるのは、どうも気持ちが悪いんですね。そこで、こんな考え方が出てきました。

たしかに、パリティの対称性は破れている。ニュートリノを鏡に映したような粒子は存在しない。しかし、反ニュートリノは右巻きだ。これを鏡に映したニュートリノだと考えれば、対称性は保たれていることになる——これが「CP対称性」と呼ばれるものです。

この「C」は「荷電共役変換（Charge Conjugation）」の頭文字で、要は粒子を反粒子へ反転するという意味、「P」はパリティ変換です。空間反転と同時に、粒子と反粒子を入れ替えるのが「CP」です。パリティ変換だけでは破れてしまう対称性も、CとPを同時に変換すれば元に戻る。わかりにくいかもしれませんが、たとえば鏡に本の表紙を向けたらどういうわけか裏表紙が映ったので、鏡の中に手を突っ込んで向こうの本だけひっくり返す、というイメージでしょうか。ちょっと無理のある比喩ですが、とにかく「変換」を2度やれば対称性は保存されるのだから、その点では弱い力もそれなりに従来の法則にしたがっていることになります。

ところが、そう考えてみんながひと安心したのも束《つか》の間、この「CP対称性」もほんのわずかですが破れていることがわかりました。1964年、CPがマイナスになるはずのK中間子が、崩壊してプラスになる現象が見つかったのです。1000分の1の確率ですが、レアケースであっても、対称性が破れていることは間違いありません。それを明らかにした実験のリーダーだったクローニンとフィッチの2人には、1980年にノーベル賞が与えられました。それぐらいの大発見だったわけです。

その衝撃の大きさは、一般の人々にはちょっと伝わりにくいかもしれませんね。でも、これは自然界の「秩序」を揺るがす事実です。物理学者は自然界の秩序をシンプルな法則で説明したいと願っているので、対称性はなるべく保存されてほしい。だからパリティ対称性の破れが明らかになると、慌てて「それでもCP対称性はある」と言い出しました。

その対称性も破れていたのですから、これは大変です。それを説明するための、別の秩序を見いださなければなりません。

ここで登場したのが、実は「小林・益川理論」でした。まだ第2世代のチャームクォークも発見されていない段階で、彼らが「クォークは3世代あるはずだ」と予言したのは、この「CP対称性の破れ」を理論的に説明するためだったのです。

「クォークは2世代でなく3世代以上ある」ことが肝心

では、なぜクォークに3つの世代があると、CP対称性の破れが説明できるのでしょうか。その理論は、ここでさらりと説明できるほど簡単ではないので、大雑把なイメージだけお伝えすることにしましょう。

大事なのは、「2つ」と「3つ」ではまったく違うということ。小林・益川理論のポイントは、「クォークは3世代あるはずだ」ではなく「クォークは2世代ではなく3世代以上あるはずだ」という部分にあるのです。

2世代でも3世代でも大差ないと思う人もいるでしょうが、そんなことはありません。2つと3つでは大きな違いがあることは、紙の上に点を打ってみればわかります。打った点を直線で結ぶと、2点の場合は直線にしかなりませんが、3点以上あれば2次元の「図形」を描けますよね？　そこが、「2」と「3」の本質的な違いです。

[図32]なぜ3つ?

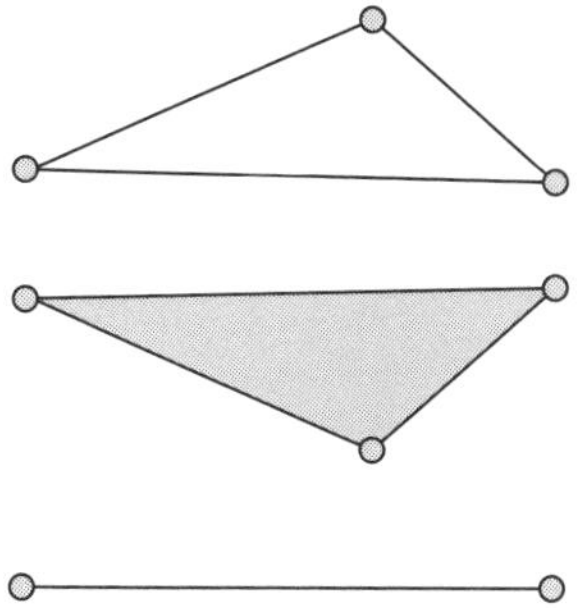

・2つと3つ以上は違う
・3つ以上だと図形になる
・3つ以上だと違いが出せる!
・点を直線でつなげる
・物質と反物質は鏡
・2つではつぶれてしまう

ここで考えてほしいのは、小林・益川理論が粒子と反粒子の「対称性」に関するものだということ。そして、反粒子というのは、粒子を線対称にひっくり返したようなものです。ひっくり返したときに両者の区別がつかなければCP対称性が保存され、区別がつくならCP対称性が破れているのだと思ってください。

2点を結んだ直線の場合、どちらの向きにひっくり返しても同じ長さの直線ですから、見た目はまったく変わりません。つまり、対称性は保存されます。

でも、これが三角形になるとどうでしょう。二等辺三角形なら、底辺を対称軸にしてひっくり返しても形の区別がつきませんが、それは例外的なケースです。3辺の長さが異なる三角形の場合、どの辺を軸にしてひっくり返しても、同じ形にはなりません。もう一度ひっくり返せば重なりますが、平面上を移動させているかぎり重ならないので、どちらが元の図形で、どちらがひっくり返したものなのか、区別がつきますよね？

これが、CP対称性の破れです。2つだと違いが出ないので対称性を破ることができませんが、3つあれば、ひっくり返す前とは違う世界をつくれます。それはつまり、粒子の世界と反粒子の世界には違いがあるということにほかなりません。だから、対称性は破れてもいいのです。

前に、クォークはウィークボソンを放出することで姿を変えるという話をしました。弱い力の働きで「u」と「d」が入れ替わり、結果として全体が陽子になったり中性子になったりするのですが、これは同世代のクォーク同士だけで起こるわけではありません。第2世代のストレンジクォークが第1世代のアップクォークになることもあります。

たとえば、ボトムクォークがダウンクォークに崩壊するプロセスは3通りあります。その崩壊の強さを「複素数」（長さと角度を持った数）で表すと三角形になり、物質と反物質では、その複素数の角度が反対向きになるんですね。このあたりは入門書の範囲を超えた話なので深追いはしませんし、理解できなくてもかまいませんが、とにかく小林・益川理論では「図形」がつくれるかどうかが大事。だから、少なくとも3世代のクォークが「存在するはずだ」と考えたわけです。

「三角形」をめぐる日米の激しい実験競争

とはいえ、予言どおりに3世代のクォークが見つかっただけでは、小林・益川理論が「正しい」ということにはなりませんでした。私はそれだけでも十分にノーベル賞に値すると思いますが、選定する委員会は慎重です。

というのも、小林・益川理論の本来の目的は、クォークの数を予言することではなく、CP対称性の破れを説明することでした。そのためには、3つの点を結んだものが本当に「三角形」になるかどうかたしかめなければいけません。3点が一直線上に並び、三角形が潰れてしまうこともあるからです。

それを突き止めるために、アメリカと日本のあいだで激しい実験競争が行われました。スタンフォード大学で行われたのは、電子と陽電子を衝突させ、そこで発生したボトムクォークがいろいろなものに壊れていく様子を精密に測定する実験です。3マイルもある線形加速器が長い鼻を連想させるからでしょう、象のキャラクターの名前を取って「ババール実験」と呼ばれました。

一方、日本側の「ベル実験」は、筑波の高エネルギー加速器研究機構にあるKEKB加速器を使ったものです。こちらも電子と陽電子をぶつけるのですが、データをたくさん取るために、7ナノ秒（1ナノ秒は10億分の1秒）に一度の頻度で衝突させました。そのために用意された装置の総重量は数万トンという規模です。超ハイテク機器がぎっしりと並べられ、ミクロンの精度でつなげられました。この実験を取材した立花隆さんは、『小林・益川理論の証明』という本の中で、「加速器実験は現代の戦艦大和だ」とお書きになっています。

そういった実験を何年にもわたって続けた結果、ようやく2002年になって、小林・益川理論を裏付けるデータが出るようになりました。3つの点は直線にならず、ちゃんと角度のある「三角形」になることがわかったのです。それを踏まえて与えられたのが、2008年のノーベル賞でした。

スタンフォードの実験は予算がなくなって終わってしまったものの、高エネルギー加速器研究機構ではいまも実験が続いています。小林・益川理論は大筋では正しいと証明されましたが、実験の精度をもっと上げて、「三角形」の角度を正確に把握できると、微妙に辻褄の合わない部分が出てくる可能性があるからです。

その実験結果から、いつか小林・益川理論を超える法則が発見されるかもしれません。これまでも、新しい理論は実験で証明され、実験から新しい「謎」が生まれてきました。物理学は、常に「理論」と「実験」の追いかけっこなのです。

[図33] 小林・益川理論を検証する2大実験

ベル実験

Credit:KEK

バーバール実験

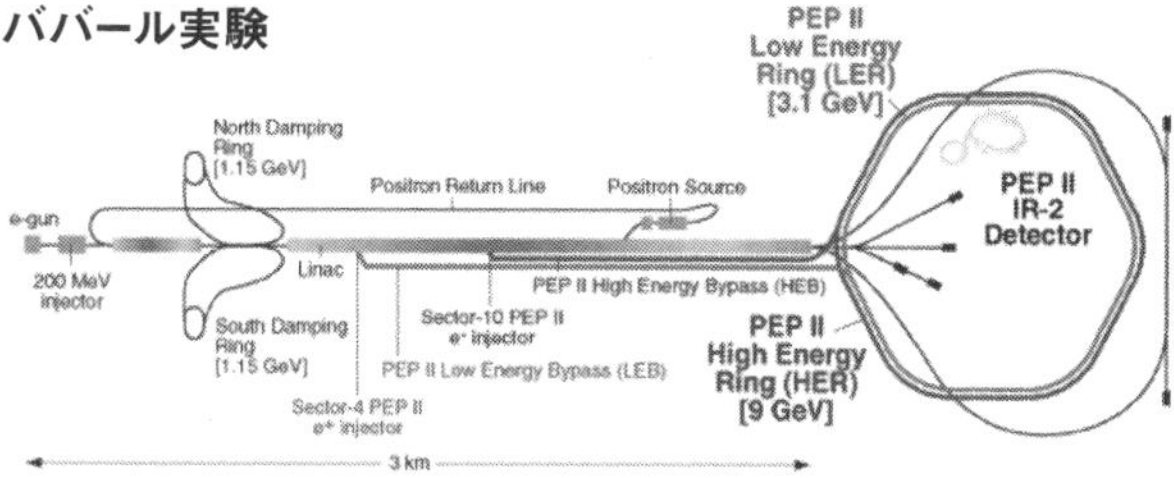

Courtesy of SLAC National Accelerator Laboratory

素粒子に質量を与える？　正体不明のヒグス粒子

小林・益川理論が証明されたことで、素粒子物理学の「標準模型」はほぼ完成の目処《めど》が立ちました。電磁気力、強い力、弱い力という3つの力については、その正体がおおむね解明されたと言っていいでしょう。

ただし「力の統一」のことを考えると、まだ謎が残っています。すでに電磁気力と弱い力を統一的に扱う理論はできており、エネルギーを高めていくと両者の値が近づくこともわかっているのですが、この2つは、同じ種類の力にしては到達距離が違いすぎるんですね。電磁気力は無限に遠くまで届くのに、弱い力は原子核の直径の1000分の1しか届きません。ここでも「対称性」が破れているわけで、この謎が解ければ「標準模型」は完成です。

そして、その日はそう遠くないでしょう。すでに理論的な予言はあり、何を見つければいいのかはわかっているからです。

弱い力が遠くに届かないのは、それを運ぶウィークボソンが「重い」からにほかなりません。一方、電磁気力を運ぶ光子は質量がないので、どこまでも飛んでいけます。もともとは同じ力だったとしたら、なぜウィークボソンのほうだけが重くなったのでしょうか。

その説明として考えられているのが、前にちらりと名前を出した「ヒグス粒子」です。私は勝手に「暗黒場」と呼んでいるのですが、それは、正体のわからないものに名前をつけると、それだけで何かわかったつもりになりやすいからです。たとえば、家の庭に迷い込んだ猫に名前をつけると、その猫のことを本当は何も知らないのに、それだけで自分の家の飼い猫になったような気持ちになってしまいますよね？　ヒグス粒子の場合は、まだそれが猫なのか犬なのかもわからないぐらいの段階です。

とはいえ、その役割ははっきりしています。ウィークボソンが遠くまで飛ぼうとしても、宇宙に充満した何かにゴツゴツとぶつかって行く手を阻まれてしまう。しかしその何かは電気を持っていないので、電磁気力を伝える光子は反応せずに素通りできる。光子はどこまでも無限に飛んでいけるのに、ウィークボソンはちょっとしか飛べない。その「何か」がヒグスというわけです。

これにぶつかるのは、ウィークボソンだけではありません。たとえば電子も、ヒグスにぶつかることで重さを得ると考えられています。ヒグスと衝突したときのエネルギーが、素粒子の質量になるんですね。これは非常に重要なはたらきです。もしヒグスがないとすると、私たちもかなり困ったことになります。電子は質量を失って光速で飛んでいきますから、原子はバラバラになるでしょう。ヒグスが消滅したらその10億分の1秒後には、私たちの体は爆発してしまうわけです。

右利きが多いのは「自発的対称性の破れ」?

こうした理論のもとになったのが、小林・益川の両氏と同じ年にノーベル賞を受賞した南部陽一郎さんの「自発的対称性の破れ」という考え方でした。ノーベル賞理論に対して乱暴な言い方ですが、これは、言われてみれば「まあ、そういうこともあるよなぁ」という話です。

たとえば、鉄のかたまりには上も下も右も左もありません。ところが、これが磁石になると、電子がある特定の方向に揃います。鉄のかたまりを冷やしていくと、スピンが同じ向きになったほうがエネルギーを得するので、それが揃った結果、磁石になるんですね。その揃う方向はどちらでもかまわない(つまり対称性がある)はずなのですが、どういうわけか勝手に同じ方向を向く。「自発的に対称性を破る」わけです。

自然界にはこういう現象がたくさんあるということを、南部さんは教えてくれました。素粒子の世界だけではありません。たとえば人間に左利きより右利きのほうが多いのは、パリティ対称性の破れではなく、おそらく自発的対称性の破れによるものでしょう。本来、利き腕の右左は「どちらでもいい」はずです。ところが、たまたま何かの拍子に右利きが少しだけ多くなり、それが次の世代に遺伝していくうちに、右利きが圧倒的多数派になったのだと思われます。

もっと身近なことで言えば、みなさんは洗濯物を干すとき、とくに理由もなく、無意識のうちにいつも同じ方向に干していませんか? 実は、私がそうです。どちらでもいいはずなのに、自発的に対称性を破ってしまう。これは私が特別な性癖を持っているのではなく（笑）、宇宙ではよくあることなのです。

南部さんが1961年に発表した理論によれば、すべての素粒子はもともと質量がゼロでした。その対称性が何かの拍子にたまたま破れて、特定の質量を持つようになったと言います。その考えを踏まえて、素粒子が質量を獲得するメカニズム（ヒグス機構）を理論的に予測したのが、イギリスの理論物理学者ヒグスでした。そのときから、ヒグス粒子の発見が素粒子物理学の大テーマとなったのです。

すでに、ヒグス粒子と似たようなものは実験室でつくれるようになりました。「量子液体」と呼ばれる原子のかたまりで、これは大量の原子を絶対1度の10億分の1ぐらいまで冷やしてつくります。

でも、宇宙に満ちているはずのヒグス粒子は、原子とは違うものでできています。実験室とは逆に、宇宙を暖めることができればヒグス粒子がバラバラになり、それが何でできているのかわかるのですが、そんなことはできません。

では、どうすればヒグス粒子を検出できるかというと、やはり加速器を使うしかありません。宇宙のどこにでもある物質なのですから、とにかく高エネルギーをつぎ込むことさえできれば、ヒグス粒子の「素」になっている粒子を弾き飛ばせるはずです。

その実験も、世界中で競争になっていますから、いつ「ヒグス粒子発見！」のビッグニュースが飛び込んでくるかわかりません。そのときは、「ああ、これで標準模型が完成したんだな」と思ってください。ただし数年前に、CERNの加速器がヒグス粒子を検出したと報じられ、のちに間違いだとわかったことがありましたので、早とちりは禁物ですが。

第5章　暗黒物質、消えた反物質、暗黒エネルギーの謎

ゴールに近づいたと思ったらまた新たな謎

宇宙が何からできていて、どんな法則に支配されているのか。繰り返しになりますが、それを説明するのが「標準模型」です。これまで見てきたとおり、多くの研究者の才能と努力を結集することで、宇宙の成り立ちはかなりのところまでわかってきました。電子やクォークなどの物質粒子が、光子やグルーオンやウィークボソンが伝える「力」に支配されて、この宇宙を形づくっているのです。

しかし、標準模型が完成に近づこうとしているときに、そのモデルでは説明のつかない謎が次々と出てきました。ゴールに近づいたと思いきや、実はそこも単なる通過点にすぎなかった……というのは、この分野では毎度お馴染《なじ》みのパターンですね。宇宙の「果て」が膨張でどんどん遠ざかっているのに似て、究極の真理にもなかなか手が届きません。もちろん私たち物理学者は、必ずそこに到達できると信じて日々努力しています。

その研究に必要なエネルギーを高め、スピードを加速するには、多くの人々がこの学問に興味や関心を抱き、理解が深まるような環境をつくることも必要でしょう。素粒子物理学が何を目指しているのかを知り、それを「面白い」と思う人々が増えれば、人材やお金などの「エネルギー」がこれまで以上に集まるに違いありません。

そんな意味も含めて、まだ解明されていない「謎」について、最後にお話ししておくことにします。「これがまだわかりません」で終わる入門書は珍しいかもしれませんが、それがあるからこそ宇宙研究は面白いのです。

暗黒物質がなければ星も生命も生まれなかった

最初に取り上げる謎は、前にも紹介した暗黒物質です。正体は不明ですが、宇宙全体の原子の約5倍もあり、その重力がなければ太陽系は天の川銀河に留まれません。

それに加えて、実はもっと大事なこともわかっています。もし暗黒物質が存在しなかったとしたら、そもそも太陽系や銀河系自体が成立せず、したがって私たちも生まれなかったはずなのです。

それを教えてくれたのは、望遠鏡でも顕微鏡でも加速器でもありません。IPMUのメンバーの吉田直紀さんが手がけるコンピュータ・シミュレーションです。コンピュータが宇宙の謎の解明に果たした役割ははかりしれないほど大きく、いまや、それを使って実際には観察できていない、ほぼ現実の宇宙の構造を再現できるまでになりました。

コンピュータ上の宇宙で、暗黒物質が溜まっているところにさしわたし15光年ぐらいの大きさまで絞ってズームインしてみると、その重力に引かれてたくさんの原子が集まってくるのが

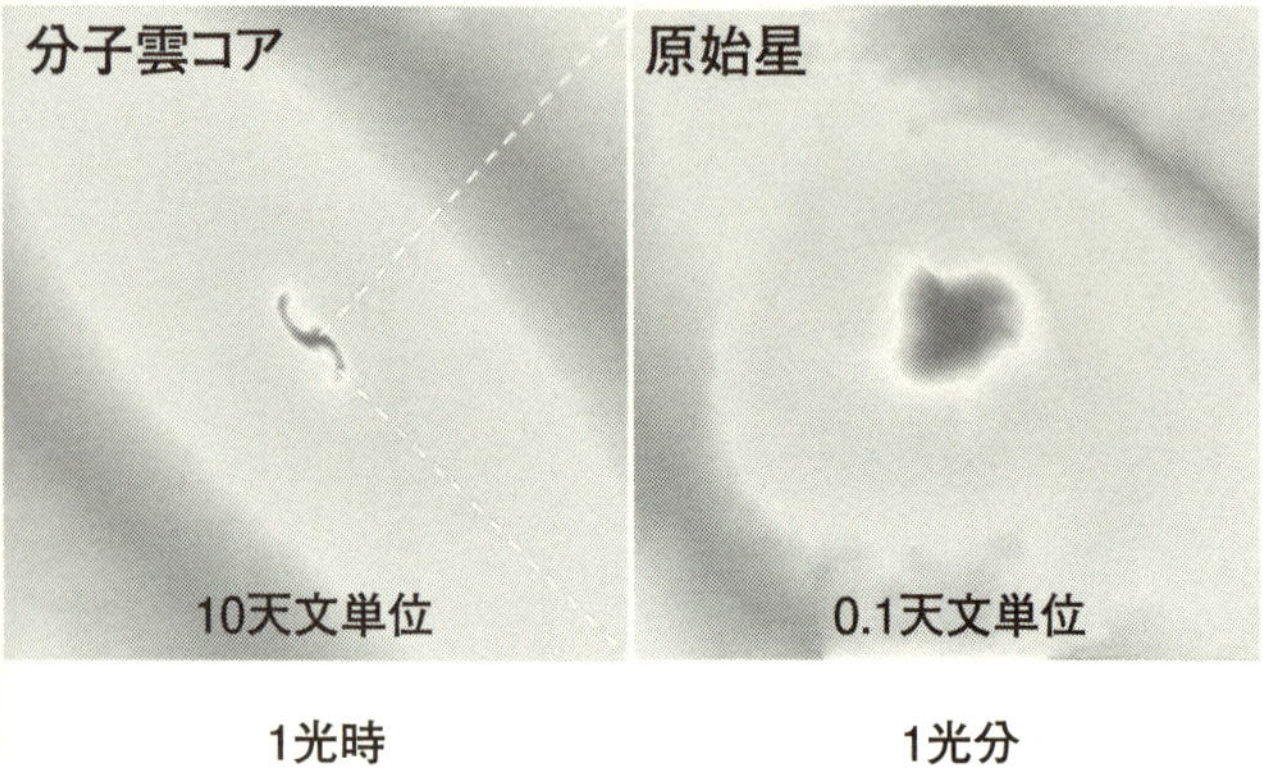

吉田直紀氏提供

わかります。集まった原子たちは（加速器の中と同様に）衝突してお互いに反応し、光を出してエネルギーを失いながらどんどん固まっていく。そのプロセスを最後の原子1個まで追っていくと、何が起こったか。最後は星になって燦々《さんさん》と輝き始めるのです。

　暗黒物質が原子を引き寄せて星ができあがることを世界で初めて示したこのコンピュータ・シミュレーションは、なぜか金融業界にも注目され、ウォール・ストリート・ジャーナルの記事になりました。「はじめにコンピュータ・シミュレーションありき」という印象的な一節で始まっていましたが、宇宙の「はじめ」にもそれと同じことが起きたに違いありません。

　初期の宇宙はどこを取っても均一なのっぺ

［図34］**星の誕生**（吉田直紀氏によるコンピュータ・シミュレーション）

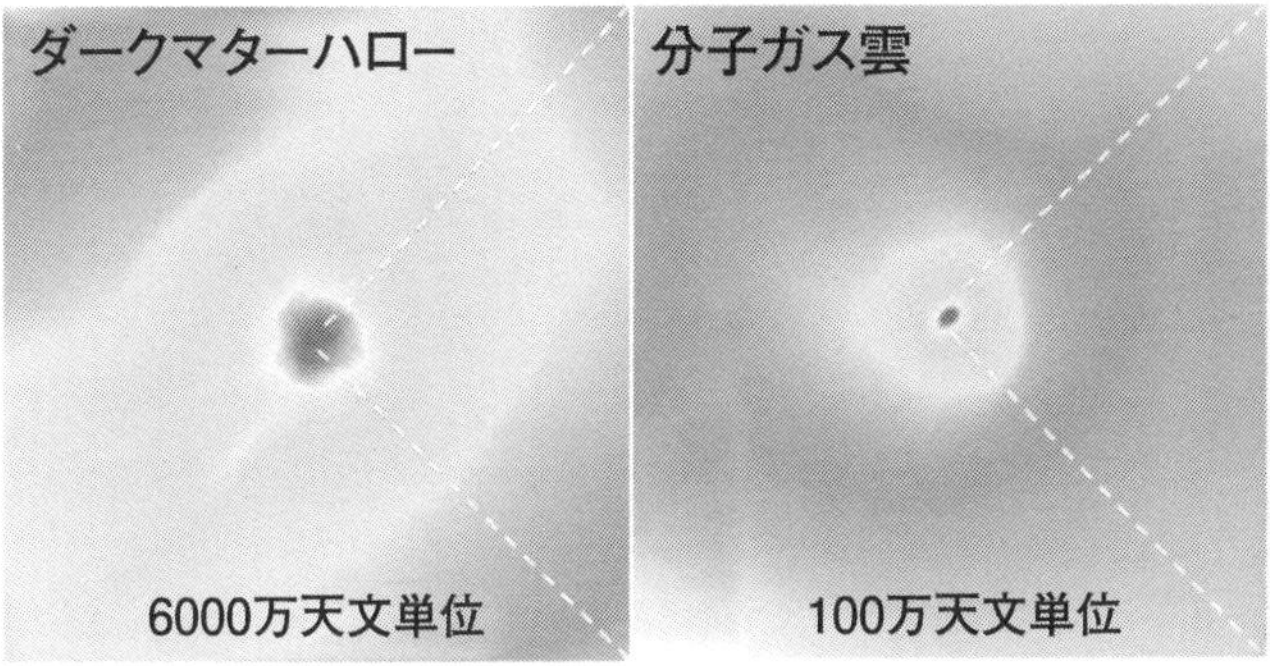

1000光年　　15光年

らぼうの空間でした。でも、シミュレーションによれば、やがて暗黒物質がお互いの重力であちこちに集まるようになり、徐々に濃淡ができます。そのコントラストが強くなるにしたがって「構造」が固まっていくんですね。それが銀河系になり、私たちの太陽系になった。もし暗黒物質がなかったら、宇宙はのっぺらぼうのままで、銀河も星も生命も生まれなかったわけです。

「超ひも理論」は夢の「大統一理論」を実現するか？

それほど重要な役割を果たしているのですから何としても正体を突き止めたい暗黒物質ですが、いまのところはまだ、「弱虫＝ＷＩＭＰ」だろうということぐらいしかわかりません。「暗黒物質」というオドロオドロしい名前にはいささか不似合いですが、「ＷＩＭＰ」とは「Weakly Interacting Massive Particles（反応の弱い重い粒子）」の頭文字。あの見つけにくいニュートリノよりも重く、ほかの粒子とまったく反応しないので、そのへんをコソコソとすり抜けているのだろうと考えられています。

しかも重いので、加速器でつくるのも容易ではありません。おそらくトップクォークよりも重い粒子なので、これまでの実験施設ではエネルギーが足りないのです。

ビッグバンのときはエネルギーが十分にあったので、大量の素粒子がつくられたに違いありません。そのときに発生した素粒子は大部分が消滅したものの、１３７億年後のいまでも少しだけ残っている。それが暗黒物質ではないかという見方が、現在の主流です。

では、ビッグバンのエネルギーで生まれたのはどんな素粒子なのか。それについては諸説が乱れ飛んでおり、ほとんど「何でもアリ」の状態です。次々と新しいアイデアが出てくるので、ある意味ではいちばん面白い段階とも言えるでしょう。

その中でも有力な説の1つは、「超対称性理論」に基づくものです。また「対称性」が出てきましたが、これは「超ひも理論」から導かれた理論です。

超ひも理論は、素粒子を「点」ではなく1次元の広がりを持つ「ひも」だと考える「ひも理論」から生まれました。ちなみに「ひも理論」の生みの親は、南部陽一郎さんです。クォークの「色荷」や「自発的対称性の破れ」に加えて、こんなアイデアまで何十年も前に考えていたのですから、なんとも驚くばかりですね。

南部さんのアイデアから始まった超ひも理論によると、ひもは輪ゴムのように「閉じたひも」と、「開いたひも」の2つに大別されます。それが回転や振動などの運動をすることで、さまざまな状態になります。その多様な状態が、この講義でいままで紹介してきた「素粒子」だと考えるんですね。電子もクォークもニュートリノもウィークボソンも、運動を止めればみんな1本のひもになる。ひもの状態は無限にあるので、「素粒子」はいくらでもつくれるわけです。しかしひもの大きさは何と10^{-35}メートルという極小のサイズ。これでは素粒子が本当はひもであっても、点に見えて不思議はありません。

詳しい説明を省いて言うと、この超ひも理論は、重力を含めた4つの力を1つの理論で統一できる可能性を秘めています。標準模型では電磁気力と弱い力が統一されそうですが、そこに強い力も含めた「大統一理論」はまだ確立されていません。ところが超ひも理論は、そこに重力まで加えて、すべての物理学者が夢見る完全な力の統一を実現できるかもしれないのです。まだまだ発展途上の理論ですが、有望視されていることは間違いありません。

本当の時空は10次元までである?

超ひも理論が力の統一を果たすために予言しているのが、「超対称性粒子」です。これは、あらゆる素粒子に存在する「パートナー」のようなものです。それぞれの素粒子にはスピンが1/2だけ異なる超対称性パートナーがいて、それによって「超対称性変換」を起こします。これは、フェルミオンとボソンが入れ替わる現象のことです。スピンが半回転ズレているので、半整数スピンのフェルミオンは整数スピンのボソンに、整数スピンのボソンは半整数スピンのフェルミオンになるわけです。

この変換は、ふつうの3次元空間に時間を加えた4次元時空ではなく「量子論的な次元」で起こるのですが、これはあえて説明しません。そういうものがあると思ってください。物質粒子(フェルミオン)がそこに迷い込むと力の粒子(ボソン)になり、力の粒子は物質粒子に姿を変えます。

そのような超対称性粒子が存在するとしましょう。それにもいろいろな種類があると考えられていますが、中でももっとも安定しているのは質量のいちばん軽い粒子です。質量が小さいとエネルギーが低いので、壊れにくい。この「軽い超対称性粒子」が暗黒物質の有力候補の1つなのです。

また、「量子的な次元」とは別に、時空には4次元を超える次元があると考える人たちもいます。しかも、5次元や6次元ではありません。本当の時空は10次元まであるというのです。相対性理論に出てくる「4次元時空」でさえ十分に難しいところ、それより6次元も多いのですから、想像の範囲をはるかに超えています。

超ひも理論によれば、5次元から10次元まではきわめて微小な「プランク距離」(10^{-35}メートル)の大きさに畳み込まれているので、私たちには見えません。

ですから、その次元で運動している粒子があるとしても、私たちには観察できません。見えるのは、4次元時空にいるときだけ。たとえば「2次元の世界」があるとすると、平面にへばりついて暮らしている住人は(3次元世界の私たちが実際は「立体」ではなく「平面」しか見ていないのと同じように)「点」や「線」しか見えませんよね? 平面上に風車があって、「上」のほうでは羽根車がくるくる回っているとしても、そこの住人には関係ない。接地している柱(の幅の直線)が止まって見えるだけです。

それと同様、5次元以上の空間で運動している粒子は、私たちには止まって見えるでしょう。そう考えると、粒子の「質量」の意味が変わります。この理論によれば、止まっている粒子が持つ質量とは、見えない次元で生じる運動エネルギーなのです。

その「見えない次元」を飛び回っている粒子の中にも、いちばん軽くて安定したものがあるでしょう。これが暗黒物質の正体ではないかという意見もあります。推論に推論を重ねてはいますが、ちゃんと理論的な根拠を積み重ねていますから、荒唐無稽な空想ではありません。このように、超ひも理論には突拍子もない話がたくさん出てきて面白いので、興味のある人はぜひ勉強してみてほしいと思います。

暗黒物質検出、一番乗りはどこか?

ともあれ、暗黒物質についての理論的な予想はいろいろあって、すぐに結論は出そうもありません。正体を突き止めるためにいちばん手っ取り早いのは、宇宙空間に存在する暗黒物質を直接捕まえることです。

とはいえ、なにしろ反応の弱い粒子ですから、捕捉するのは大変です。いわば小さな小さな音を聞き取るようなものですから、都会の喧噪の中では無理。ノイズのない静かなところで観測しなければなりません。つまり、「地下に潜る」わけです。

そこで私たちIPMUでは、現在、東大宇宙線研究所と共同で、神岡の地下にXMASS(エックスマス)という検出器を建設しています。暗黒物質を待ち受けるのは、1トンの液体キセノン、希ガスの一種です。それを丸い機械の中に入れ、暗黒物質以外の「雑音」をシャットアウトするために、水を溜めたタンクに吊します。

この装置で、液体キセノンの原子核に暗黒物質がコツンと当たるのをひたすら待つわけですが、その瞬間に出る光はほんのわずか。きわめて敏感な機械を使わないと、その信号をキャッチすることができません。

機械の性能と並んで、いやそれ以上に重要なのは人間の「忍耐力」です。「昨日は来なかった」「今日もダメだった」といちいち落ち込んでいるようでは、やっていられない観測です。1年に10回もぶつかってくれたら万々歳。それをジーッと待ち続けるのですから、なんとも地味な作業ではあります。しかし、かつてのカミオカンデもそうやってニュートリノを検出し、ノーベル賞をもらいました。暗黒物質の検出はそれに優るとも劣らない仕事ですから、やり甲斐はあります。

暗黒物質を検出する試みはこれだけではありません。XMASSが「鳴くまで待とうホトトギス」の家康的なやり方だとすれば、一方で「鳴かせてみせようホトトギス」の秀吉風アプローチもあります。言うまでもなく、そこで登場するのは粒子加速器です。「ビッグバンが暗黒物質をつくれたのだから、俺たちにもできるだろう」というわけです。

その実験に取り組んでいるのは、CERNが建設し、2010年に本格稼働を始めたLHC（大型ハドロン衝突型加速器）です。とりあえずヒグスを検出するために頑張っていますが、十分なエネルギーがあれば暗黒物質もつくれるかもしれません。

ただしそこには大きな難問があります。仮に暗黒物質がつくれたとしても、それは見えません。見えない物質ができたことを確認するには、そのとき必ず生じる「何か」を調べて、事前にその性質や運動などを計算しておく必要があります。実は、私たちIPMUの仲間の1人の野尻美保子さんはこうした計算の名人です。「LHCで暗黒物質検出！」というニュースが流れたときは、彼女のおかげということになるかもしれません。

また、より精密に暗黒物質の性質を調べるための加速器を建設する「国際リニアコライダー」（ILC）という計画も進んでいます。円形のLHCに対してこちらは線形加速器ですが、違うのはそれだけではありません。LHCでは陽子と陽子を衝突させますが、ILCは電子と陽電子をぶつけます。こちらのほうが、データ解析がしやすいんですね。陽子は3つのクォークとグルーオンが詰まったチェリーパイのようなものなので、衝突するとグシャッと潰れていろいろなものが飛び散ります。これに対して電子と陽電子の衝突はチェリーの種と種をコツンとぶつけるようなものなので、余計な情報が少ないのです。

ただし、小さいもの同士をぶつけるのが技術的に難しいことは言うまでもありません。リニアコライダーでは、まず加速器の両端から電子と陽電子のビームを加速して20キロメートルほど走らせ、そのビームを数ナノメートル（原子数十個分）の大きさまで絞り込みます。それだけでも大変な技術ですが、その2本のビームを正確に正面衝突させるのですから、きわめて精密な作業が求められるのです。

[図35] 国際リニアコライダー

ILCの全体図(全長31km)

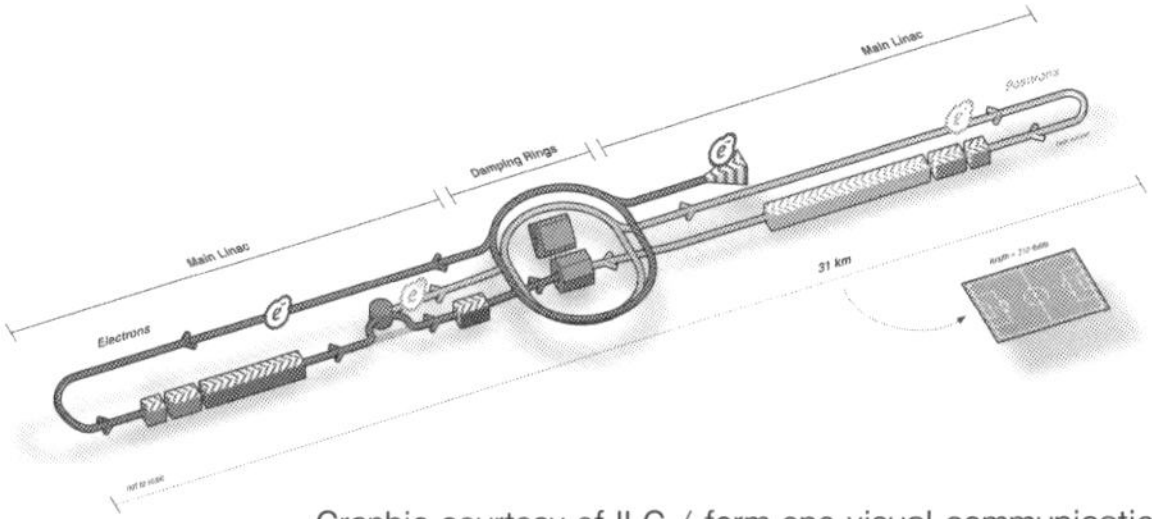

Graphic courtesy of ILC / form one visual communication

・ビームを20km加速
・ビームをナノメーターまで小さくして、
ちゃんとぶつける

→ とんでもない
ハイテク!

Source:DESY Hamburg

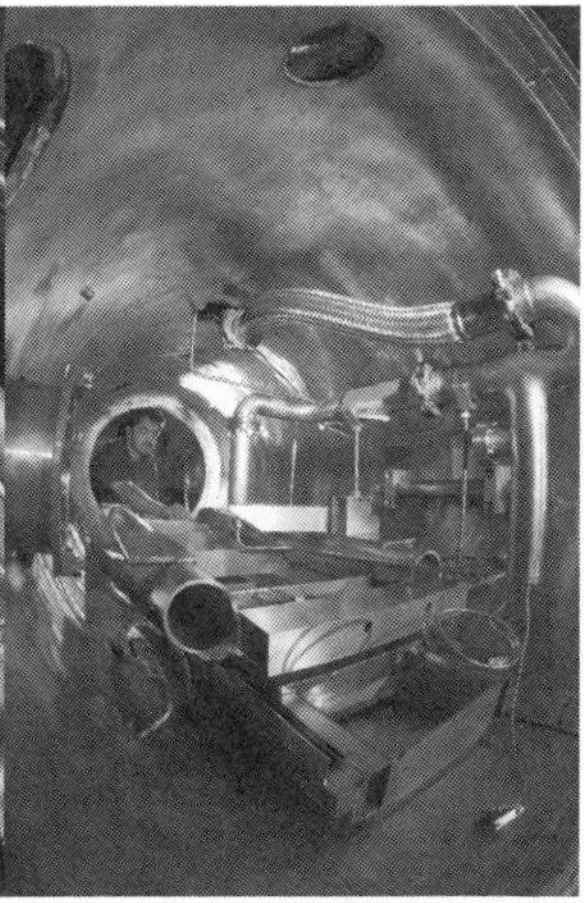

Courtesy of Fermilab
Visual Media Services

こうした加速器での検出と、観測装置での捕捉。その両方が揃い、データが一致したときに初めて、暗黒物質の正体が明らかになるでしょう。それで解明される謎は、「宇宙が何でできているか」だけではありません。暗黒物質がつくられたときの宇宙、つまりビッグバンからおよそ100億分の1秒後の宇宙のことがわかるのです。宇宙から届く暗黒物質と、実験室でつくられた暗黒物質は、まさに「ウロボロスの蛇」の頭と尻尾と言えます。

反物質のエネルギーは0・25グラムで原爆並み

しかし、暗黒物質の正体がわかれば宇宙の起源や歴史がすべて解明されるかと言えば、そんなことはありません。現在の宇宙の成り立ちを説明するためには、もう1つ大きな謎を解く必要があります。それは、「反物質」にまつわる問題です。

すべての粒子には、質量やスピンなどの性質が同じで、電荷などのプラス・マイナスが逆の反粒子が存在します。その反粒子でできあがっているのが、反物質。たとえば反原子は、反陽子と反中性子と陽電子（反電子）で構成されるわけですね。反原子が集まれば反分子ができますから、「反水」「反空気」「反地球」「反アイスクリーム」なども理論的には存在します。

実験室では、すでに「反水素」がつくられました。これは東大のチームがCERNでした仕事です。まず加速器で反陽子と陽電子をつくり、それをこんどは減速器に入れる。ゆっくり混ぜ合わせると、反陽子の周囲を陽電子が回る反原子ができるのです。これを集めれば、いずれ肉眼でも見える反物質がつくれるかもしれませんが、違うのは電荷だけですから、見た目は物質と区別がつきません。

SF作品には昔から登場していて、たとえば『スター・トレック』ではエンタープライズという宇宙船の燃料が反物質という設定になっていました。なぜ反物質で宇宙船が動くのかというと、反物質は物質と出会うと消滅するからです。「$E=mc^2$」によって、そのとき質量がエネルギーに変わるわけですね。これはたいへん効率がいい。たとえば太陽が核融合反応でエネルギーに変えられるのは質量の1%にも満たないのですが、物質と反物質が消える場合は100%エネルギーになります。その効率は、ガソリンの20億倍、少量で多くのエネルギーを出せるので、宇宙船で使うにはまことに都合がいいわけです。

ただし反物質は物質に触れた瞬間に消滅するので、持ち運びが難しい。『スター・トレック』では、この反物質を悪者が持ち逃げするエピソードがありましたが、どうやって運んだのでしょうね？　ダン・ブラウンの『天使と悪魔』でも、CERNでつくった0・25グラムの反物質が悪者の手に渡りましたが、こちらは特殊な容器に入れて慎重に運んでいましたね。もし地面に落として容器が割れれば、物質に触れて原爆並みのエネルギーを生み出しますから、私なら手渡されても絶対に受け取りたくありません。

バチカンの、あるところに隠されたその容器は、電池がなくなると浮かんでいる反物質が落ちる仕掛けになっていました。すると、不幸なことにバチカンは物質でできているので（笑）、大変なことになります。

そう聞くと「反物質は危険だ」と思う人もいるでしょう。でも、反物質をつくるには大変なエネルギーが必要です。0・25グラムの反物質をつくるのにかかる電気代を計算した人がいるのですが、なんと1兆円の1億倍もかかるとのこと。『天使と悪魔』では、CERNの科学者が所長に内緒でつくったことになっていますが、それだけの無駄遣いに気づかないほど巨額の研究予算があるのだとしたら、実に羨《うらや》ましい話です（笑）。

物質は10億分の2の僅差で反物質との生存競争に勝利

大量の反物質をつくるのは無理ですし、宇宙には物質しか存在しません。だから私たちは安心して暮らせるわけですが、ビッグバンは凄まじいエネルギーでしたから、初期の宇宙には反物質がたくさんあったはずです。それがいまは存在しないのは、宇宙が冷えるにつれて反物質と物質が出会って消滅したからです。もちろん、物質も同じだけ消滅しました。

それなのに私たち物質がこうして宇宙に存在するのは、最初の段階で反物質よりも物質のほうが少しだけ多かったからでしょう。その差を計算すると、なぜか10億分の2だけ物質のほうが多かったことになります。

ですから、この世の物質——星や水や空気やアイスクリームや私たち人間など——は、いわば「おつり」みたいなもの。私たち物質は（10億倍の「仲間」を犠牲にして）反物質との生存競争に僅差で勝ったわけですが、その勝因がわからないのですから、これは気持ちの悪い話です。どうして10億分の2だけ物質のほうが多かったのかがわからないと、私たちが生き残った理由が説明できません。これが「消えた反物質の謎」です。

反物質の世界は、物質の世界を鏡に映したようなものだと考えられてきました。だとすれば、両者のあいだに差はないはず。しかし現実問題として、そこには微妙なズレがあります。物質と反物質の対称性は破れていなければいけないのです。

もちろん、粒子と反粒子のCP対称性が破れていることは、すでに小林・益川理論によって明らかにされました。物質と反物質の微妙な違いは説明できています。しかし、それで「10億分の2」の差が理解できるかというと、実はまだ材料が足りません。いままで見つかっているCP対称性の破れとは別のところで、物質と反物質には違いがあるはずなのです。

小林・益川理論は、標準模型の確立に大きく貢献しました。それ自体は大成功した理論です。しかし、「消えた反物質」の謎を突き詰めていくと、いまの標準模型にはまだまだ綻びがあることがわかりました。

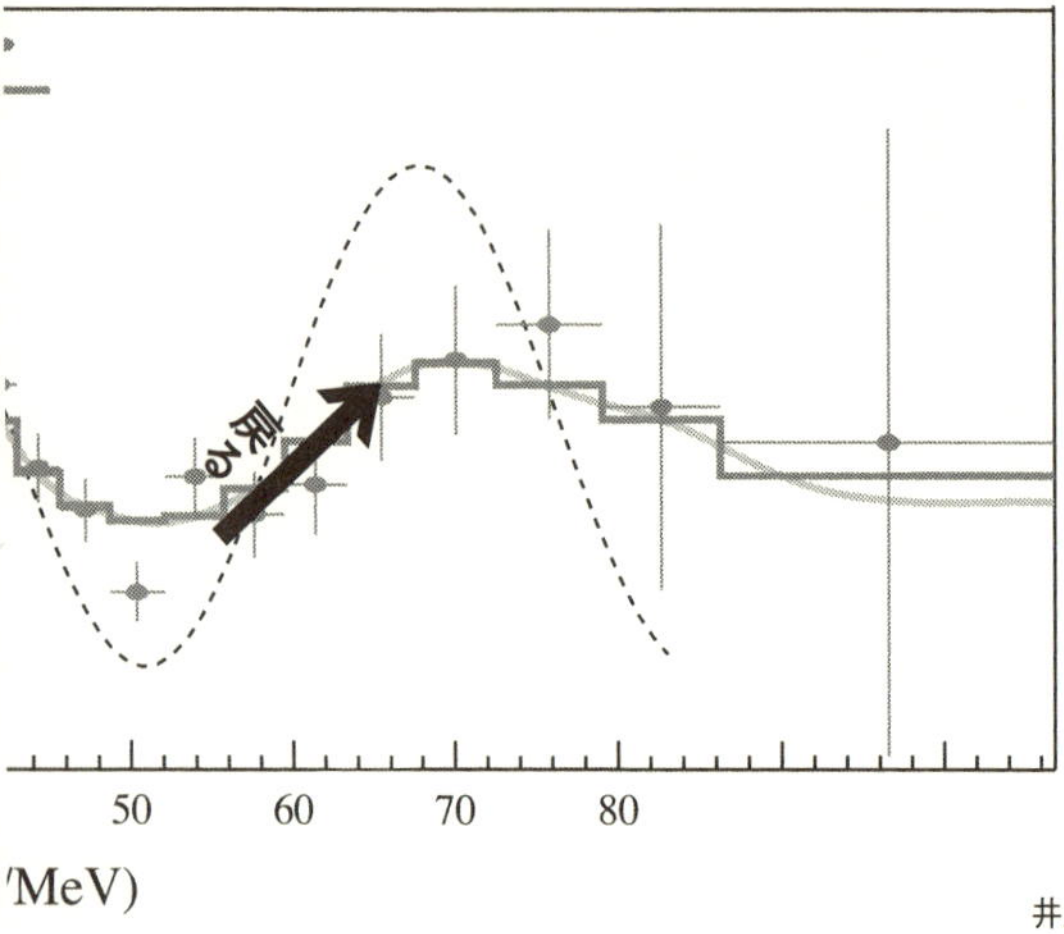

井上邦雄氏提供

イチゴ味がチョコ味に？　ニュートリノ振動の正体

いま、その綻びを繕う存在として、にわかに注目の高まっている素粒子があります。それは、ニュートリノです。

実は、その観測が始まった当初から、ニュートリノにはある不可解な問題があることが指摘されていました。太陽から届くはずのニュートリノが、予想される量の3割から5割程度しか見えないのです。

ニュートリノの検出は、さまざまな方法で行われてきました。小柴さんとノーベル賞を分け合ったレイ・デービスの実験、日本のカミオカンデ、イタリアとロシアの実験など、どれもやり方は異なります。しかしどの方法でも、結果は同じ。太陽から来る途中でニュ

[図36]ニュートリノ振動の証明

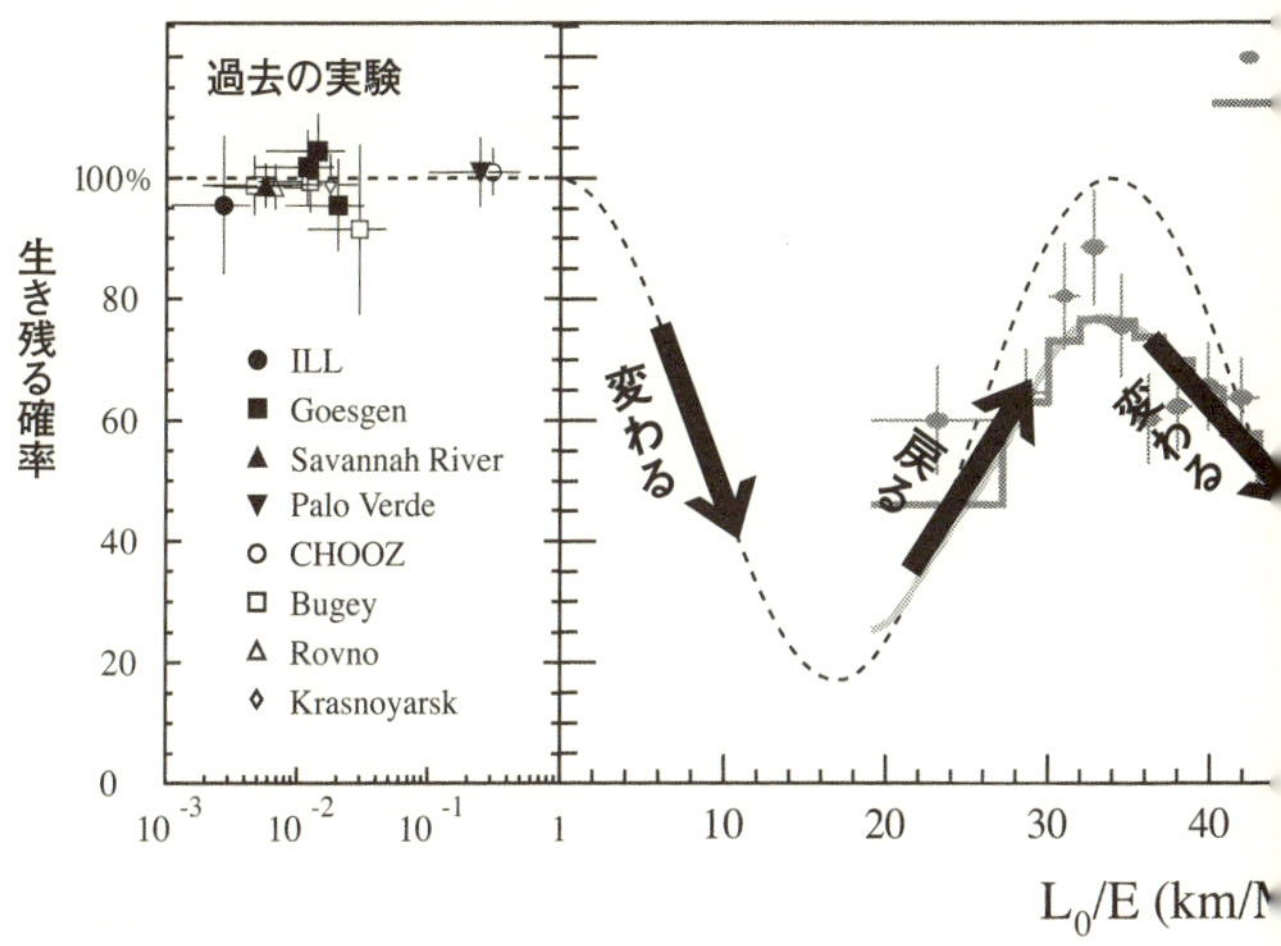

ートリノが減るわけはないのに、想定の3分の1から半分しか見えません。

　この「太陽ニュートリノ問題」は40年来の大問題だったのですが、２００２年、日本の神岡で東北大学を中心に行われているカムランド実験がこれを解決しました。私も一部関わった実験です。ここで、かねて理論的には予測されていた「ニュートリノ振動」という現象が観測されたのです。

「ニュートリノ振動」とは、宇宙空間を飛んでいるニュートリノが途中で消滅と出現を繰り返す現象です。もちろん、ニュートリノは本物のお化けではないので、実際に消えるわけではありません。素粒子物理学では、粒子の状態の違いを「フレーバー」という言葉で表現するのですが、ニュートリノはそのフレーバーが「振動」するのです。

太陽で発生するのは電子ニュートリノなので、どの実験施設も電子ニュートリノを見るためにつくられています。ところがニュートリノは、地球に届くまでに、違うフレーバーのニュートリノになったり、また電子ニュートリノに戻ったりしているんですね。お店で注文したストロベリーアイスクリームが、席に届くまでにチョコレート味になったりストロベリー味になったりしているようなものです。だからお客さんは、注文どおりストロベリーアイスクリームを手にすることもあれば、頼んでいないチョコレートアイスクリームを受け取ることもある。アイスクリームなら見えますが、実験装置は電子ニュートリノしか見えないので、フレーバーの違うニュートリノは届いているのに「見えない」わけです。

東海村から神岡へニュートリノビームを飛ばせ!

こうして「太陽ニュートリノ問題」は解決しましたが、これを受けて、「消えた反物質」に関する新しいアイデアが出てきました。

先ほど言ったように、小林・益川理論では、物質のほうがほんの少し多いことをきちんと説明できません。これは、クォークと反クォークに着目しても謎は解けないことを意味しています。

ならば、ニュートリノと反ニュートリノに注目したらどうでしょうか。そこには、クォークと反クォーク以上に大きな対称性の破れがあるかもしれません。だとしたら、その差が「10億分の2」につながっているのではないか。そんな考え方が生まれたのです。これはIPMUの福来正孝さん、柳田勉さんの理論で、お2人は私がたいへん尊敬している物理学者です。

クォークにCP対称性の破れがあることは、1964年の時点でわかっていました。しかしニュートリノのほうは出遅れており、CP対称性の破れがあるかどうかまだわかりません。ですから、まずはニュートリノと反ニュートリノの振る舞いに違いがあるかどうかを調べる必要があります。違いが発見されたら、それを説明する理論をつくる。「10億分の2」の差をニュートリノで説明するのは、その後です。

そこで日本ではいま、ニュートリノの振る舞いを詳しく調べるための実験を計画しています。太陽から来るニュートリノを相手にしたのでは時間がかかりすぎるので、地球上でやりたいのですが、フレーバーの変化を観察するにはそれなりの距離が必要です。そのため、茨城県の東海村から岐阜県の神岡までニュートリノビームを飛ばそうというプロジェクトがあります。

東海村には、新しく建設された陽子の加速器があります。陽子を標的にぶつけるとパイオンがたくさんできるのですが、そのパイオンがミューオンに壊れるときにはニュートリノが生まれますよね？　そのビームを、スーパーカミオカンデに撃ち込むわけです。

この場合、スーパーカミオカンデは地下にありますし、地球は丸いので、東海村から水平にビームを発射すると、はるか上空に向かってしまうので命中しません。ですから、発射装置をやや下に向けて、地面にニュートリノビームを撃ち込むことになります。また、このビームはスーパーカミオカンデですべてストップするわけではありません。通り抜けたニュートリノビームは韓国のあたりで地上に突き抜けるので、そこにも検出装置をつくることができれば、さらに実験の精度は上がるでしょう。

まだ予算もついていない計画段階の話ですが、この実験では反ニュートリノビームを撃つこともできるので、ニュートリノのCP対称性も調べられるはずです。アメリカでも、同じような実験をもっと長い距離で行う計画があります。

しかし、知りたいのはニュートリノのCP対称性の破れだけではありません。ニュートリノが反ニュートリノに変わることができるかどうかも、大きな問題です。

というのも、物質が反物質よりも少しだけ多いことは、もし反物質が物質に少しだけ入れ替わることができるとわかれば納得できますよね？　でも、物質と反物質が入れ替わるのを見たことのある人はまだいません。そこでネックになるのは「電荷」です。物質と反物質は電荷の正負が反対ですが、プラス電荷のものがマイナスに変わることは（電荷の保存則に反するので）あり得ないでしょう。

でも、ニュートリノは電気を持っていません。ニュートリノが反ニュートリノに変わったとしても、保存則とは矛盾しないわけです。

その現象を見つけることができれば、「消えた反物質」の謎は解けます。ビッグバンでは物質と反物質が同じだけできましたが、その反物質をニュートリノがほんの少しだけつまみ取るようにして、物質に変えた。それが、いま宇宙で生き残っている私たちだということです。

先ほど、暗黒物質がつくられたのはビッグバンの100億分の1秒後だと言いました。もしニュートリノが反物質を消したのだとすると、それは暗黒物質の誕生よりも前のことです。そのときの宇宙年齢は、およそ1兆分の1秒のさらに100兆分の1。ニュートリノは、「物質の起源」だけではなく、宇宙の起源そのものについても大きな鍵を握る存在なのかもしれません。

収縮？ 膨張？ 宇宙に終わりはあるのか？

ここまで見てきたように、暗黒物質や消えた反物質の謎をめぐる研究は、宇宙の始まりを探るのと同じことです。だからこそ、その研究には大きな意義があると言えるでしょう。現代物理学は、宇宙の起源に迫りつつあるわけです。

では、宇宙の「終わり」のほうはどうなっているのでしょうか。そもそも、宇宙に「終わり」はあるのでしょうか。あるとすれば、どのように終わるのでしょうか。誰でも気になるところだと思います。

そこで最後に、宇宙の将来についてお話しすることにしましょう。

その将来像は、この10年間で大きく変わりました。それまでは、宇宙の膨張が「減速」することを前提に考えていたからです。

前にもお話ししたとおり、膨張がストップした場合は収縮が始まり、やがて潰れるでしょう。これを「ビッグクランチ」と言います。しかし、永遠に膨張が続く可能性がないわけではありません。ビッグバンで与えられた初速が十分に速いものだったとすれば、ロケットが地球の重力を振り切って飛んでいくように、減速しながらも膨張し続けるのです。さらにもうひとつ、「収縮」と「膨張」の中間的な考え方もあります。「永遠のちょっと手前」で膨張が止まり、収縮もしない。宇宙の膨張が確認された1920年代から10年前まで、宇宙の運命はその3つのどれかだと思われていました。

しかし10年前に、その前提が間違っていたことが明らかになったのです。宇宙膨張は減速せず、加速していたんですね。明るさの決まっている超新星の光を観測することで判明したのですが、これは私たち研究者に大変な衝撃を与えました。誰もが正しいと信じてきたアインシュタインの理論と矛盾するからです。

アインシュタインの方程式にしたがうならば、宇宙の膨張速度は宇宙空間のエネルギーで決まります。エネルギーがたくさんあれば速く広がるわけですが、空間が広がるとエネルギーも薄まるので、膨張速度は遅くなるはず。ところが観測結果を見ると、それが速くなっていました。空間が広がっているのに、エネルギーが薄まっていない。つまり、空間が広がるにつれて全体のエネルギーも大きくなっているわけです。

この不思議なエネルギーが「暗黒エネルギー」で、その正体はまだ何もわかっていません。ちなみに、宇宙膨張の加速を観測した研究には、どういうわけかアメリカのエネルギー省から予算が出ていました。薄まらないエネルギーがあるとわかったので「これでエネルギー問題は解決した」という話もありますが（笑）、正体がわからないのでは、石油の代わりにどう使えばいいのかもわかりません。

予算と言えば、宇宙膨張が加速していることがわかってから、天体観測にたずさわる研究者たちは「いまのうちに予算をつけてくれ」と言い始めました。宇宙がいずれ収縮するなら、遠くの星がどんどん近づいてくるので、未来の研究者はいまよりもたくさんの銀河が見えるようになるでしょう。しかし加速しているとなると、急がなければいけません。いま見えている銀河さえ、見えないところへ遠ざかってしまいます。100億年もしたら何も見えなくなるので、「いまのうちに研究を」と言っているわけです（笑）。

宇宙の将来をめぐる仮説は「何でもアリ」の状況

では、膨張が加速しているという前提で考えた場合、宇宙の将来はどうなるのか。単に、どんどん広がっていくだけなのでしょうか。

宇宙がどうなるかは、暗黒エネルギーがどの程度のペースで増えているかによって違ってくるでしょう。それを測るのも、私たちＩＰＭＵの活動計画の１つです。

もし暗黒エネルギーがますます増えていくと、宇宙膨張の加速がどんどん進んでいき、やがて宇宙の膨張速度は無限大に達します。それは一体、何を意味しているのか。私自身もよくわからないのですが、「宇宙が終わる」のだとしか思えません。

膨張速度が無限大に達したときに起こる現象は、先ほどの「ビッグクランチ」に対して「ビッグリップ」と呼ばれています。「リップ」とは「引き裂く」という意味。無限大の膨張で引き裂かれた宇宙では、まず銀河系や星がバラバラになって分子や原子になり、その分子や原子もやがて引き裂かれてバラバラになるでしょう。バラバラな素粒子が無限大の宇宙を薄く満たすようになり、いずれは限りなく「カラッポ」に近い状態になるのです。それでも宇宙は「ある」と言えばあるのでしょうが、これはやはり「終わり」と言わざるを得ません。

その先のことは、どう考えていいのかもわかりません。とにかく、私たちの知っている宇宙はそこで終わりです。それ以降も宇宙があるとしても、現在の物理法則では理解することができません。

しかし、これはあまりにも奇妙な結論なので、いろいろな人たちが違う考え方を表明しています。暗黒物質と同様、これも「何でもアリ」の状況と言っていいでしょう。

たとえば、「そもそもアインシュタインの重力理論が間違っているのではないか」と大胆なことを言う人もいます。実は、いずれ加速は止まるかもしれないというのです。

また、これはIPMUのシメオン・ヘラーマンさんが提唱している考えなのですが、いずれ宇宙空間に「泡」ができるという意見もあります。このまま加速膨張が続くと、ある段階で宇宙空間がボコッと泡を吹いて、その泡の内部は減速膨張に転じる。その泡があちこちに次々と生まれ、最後はすべての泡がつながって、宇宙全体が減速膨張になるのではないか――実にユニークな発想だと思います。

もちろん、何が正しいのかはわかりません。宇宙は引き裂かれてしまうのか、それともアインシュタインが間違っていたのか、はたまた「泡」が生まれるのか。どんなアイデアも、実証されなければ永遠の仮説でしかないのです。

そこで、まずは暗黒エネルギーの増え方を調べるために、ハワイにあるすばる望遠鏡を使った観測計画が進んでいます。

前に暗黒物質の「地図」の話をしましたが、いまのところ、まだ2次元の地図しかつくれていません。3次元の地図も試みられていますが、まだ視野が狭く構造が見えていません。これがもっと広い視野でできるようになると、宇宙の構造がわかります。現在の構造だけではありません。巨大な望遠鏡が見せてくれる遠くの宇宙は、「若い宇宙」です。したがって、遠い宇宙の構造と近い宇宙の構造を比較すれば、宇宙が構造をどう変化させてきたかという歴史がわかるんですね。

その歴史は、当然、宇宙全体の「膨張の歴史」を背負っているはずです。それを分析すれば、暗黒エネルギーの増え方もわかるでしょう。いまは観測に必要な新しい分光器を設計している段階ですが、この計画が進めば、暗黒エネルギーの性質をかなり精密に測定できると思われます。そうなれば、宇宙の将来も見えてくるに違いありません。

1人1人の人生とつながる素粒子物理学

以上、この章では暗黒物質、消えた反物質、そして暗黒エネルギーという3つの謎についてお話ししてきました。宇宙がどのように始まったのか、なぜ私たちはこの宇宙に存在するのか、宇宙はこれからどうなっていくのか——残念ながら、これらの疑問には、まだはっきりとした答えが出ていません。

しかし、いずれの問題も、謎を解明するための努力はすでに始まっています。これまでも、

[図37] すばる望遠鏡の超広視野カメラ

国立天文台提供

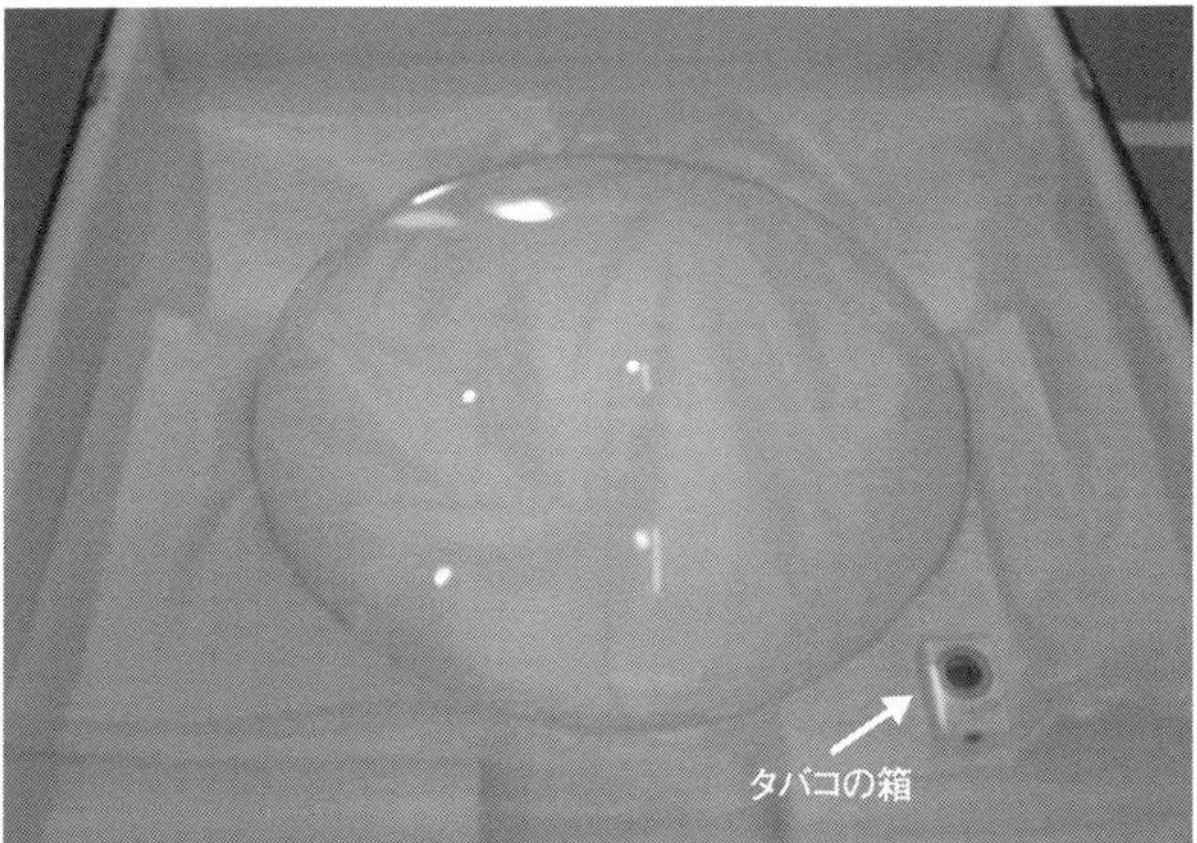

東京大学数物連携宇宙研究機構提供

物理学はさまざまな謎を解き、宇宙の成り立ちを少しずつ明らかにしてきました。これからも、謎は1つ1つ解明されていくでしょう。

最初にお話ししたとおり、「宇宙の根源」はかつて哲学者たちの考えるテーマでした。しかし、この講義をお聞きになったみなさんは、いまやそれを科学が解き明かそうとしているということが、よくおわかりになったと思います。

現代の素粒子物理学は、研究室や実験室の中だけで意味を持つような狭い学問ではありません。そこで取り扱われる根源的な問題は、私たち1人1人の人生や生活と深いところでつながっています。だからこそ、その分野の専門家だけではなく、多くの人々の好奇心を強く刺激するのではないでしょうか。

その面白さを理解する人が増えれば増えるほど、謎が解明される日も近づくに違いありません。宇宙研究を応援してくださる方々がもっと増えることを願いつつ、この講義を終えたいと思います。もちろん私自身も、最前線で働く研究者として、「ウロボロスの蛇」の全体像を知るために頑張るつもりです。

私の講義に最後までつきあっていただいてありがとうございました。

あとがき

ウロボロスの蛇をにらみながら、宇宙の始まりと宇宙の運命まで駆け足で見てきました。入門書ですので詳しい話に入れなかった部分はありますが、人類誕生以来の疑問、「宇宙はどう始まったのだろうか」「宇宙は何でできているのだろうか」「宇宙の運命はどうなるのだろうか」「宇宙を動かす仕組みとは」、そして「この宇宙にどうして我々がいるのだろうか」といった深い疑問に、科学の力が迫ってきている様子を少しわかっていただけたのではないでしょうか。

私自身、素粒子物理学を志して学位をとった20年前は、こんな大きな疑問に迫っていけるとはとても思っていませんでした。小惑星へ長旅をして満身創痍《まんしんそうい》で帰ってきた「はやぶさ」のように、科学の世界はいつも「けが」をしながら少しずつ前へ進んでいきます。私たちの身の回りのものがすべて電子、ニュートリノ、クォークで説明できるなんて、私が生まれた東京オリンピックの年には誰も知らなかったことです。

昔は宇宙の中心だと思われていた地球も、実は太陽のまわりを回る岩のかたまりの1つで、しかも太陽は銀河系にある何千億個という星の中のごくありふれた星の1つにすぎません。そして宇宙の中には同じような銀河が何億個も見つかっています。

そして、何かがわかると、また新しい謎が登場します。宇宙の中で、私たちが理解できた原子は4・4％にすぎません。宇宙のエネルギーの23％を占める暗黒物質は星や銀河ができるもとであり、宇宙が生まれて100億分の1秒頃にできた未知の素粒子だと考えられています。これが理解できれば、宇宙ができたばかりの様子が解明できるだろうと期待して、世界の科学者は、地下に潜ったり、山手線くらい大きな加速器を作ったりして研究を続けています。

また、宇宙のエネルギーの73％はもっと得体の知れない暗黒エネルギーで、「見えない力」で宇宙の膨張を後押しして膨張をどんどん加速しています。宇宙が大きくなっても薄まらないこの不思議なエネルギーは、宇宙に終わりがあるのかどうか、宇宙の運命を握っている鍵です。日本が誇る直径8・2メートルの巨大な鏡を持つすばる望遠鏡に新しい装置を取り付けて、宇宙の膨張の歴史を精密に測り、将来を予測する観測計画を進めているところです。

ＩＰＭＵではこうした宇宙の大きな謎に迫るため、数学者、物理学者、天文学者が集まって日々がやがやと新しいアイディアを考えています。いまはまさに「革命前夜」といった雰囲気が漂っています。

この本を読んでわくわくしてくださった読者は、ぜひ素粒子や宇宙の本を読み、さらに知識を深めていただければ幸いです。ＩＰＭＵでは一般向けの講演会、サイエンス・カフェ等でこれからも科学の最先端の情報を発信していくつもりです。ウェブサイトの http://www.ipmu.jp/ja や、非公式なブログ http://ipmu.exblog.jp/ もときどきご覧ください。

一方、「こんなことを調べて一体何の役に立つんだ？」と疑問に思われた方もいると思います。実は私は文部科学省や財務省、また一般の方々から同じような質問を受けることがありますが、いつもこのように答えています。「日本を豊かにするためです」と。「豊か」という言葉は、経済的な意味もありますが、心、精神、文化の豊かさも含んでいます。人生の半分近くを外国で暮らした私から見ると、日本はこうした広い意味での「豊かさ」をとても大事にする国です。これからもそうであってほしいですね。

最後になりましたが、ＩＰＭＵでの業務をいつも支えてくれ、本文に掲載した図版の著作権について各方面へ連絡してくれた榎本裕子さん、この本のもとになった朝日カルチャーセンター新宿教室での講義をアレンジしてくださった神宮司英子さん、文章をまとめるために大変な努力をされたライターの岡田仁志さん、出版の声をかけ、辛抱強く待ってくださった幻冬舎の小木田順子さん、ありがとうございました。

そして、いつも世話をできず心苦しく思っているアメリカの家族にこの本を捧げたいと思います。

宇宙や自然の成り立ちを根本からわかりたいという気持ちは人類に共通のテーマです。日本がこの大きな謎に取り組めるよう、皆さんの支援をお願いしつつ、私たち研究者も毎日頑張っていこうと思います。応援をお願いいたします！

２０１０年9月

村山　斉

※本書の印税はＩＰＭＵに寄付され、活動資金にあてられます。

著者略歴

村山斉《むらやまひとし》

一九六四年生まれ。八六年、東京大学卒業。九一年、同大学大学院博士課程修了。専門は素粒子物理学。東北大学助手等を経て二〇〇〇年よりカリフォルニア大学バークレイ校教授。〇二年、西宮湯川記念賞受賞。〇七年、文部科学省が世界トップレベルの研究拠点として発足させた東京大学数物連携宇宙研究機構（ＩＰＭＵ）の初代機構長に就任。

主な研究テーマは超対称性理論、ニュートリノ、初期宇宙、加速器実験の現象論など。世界第一線級の科学者と協調して宇宙研究を進めるとともに、研究成果を社会に還元するために、市民講座や科学教室などで積極的に講演活動を行っている。

幻冬舎新書 187

宇宙は何でできているのか

素粒子物理学で解く宇宙の謎

二〇一〇年 九 月三十日 第一刷発行
二〇一〇年十一月 五 日 第六刷発行

著者 村山 斉

発行人 見城 徹

編集人 志儀保博

発行所 株式会社 幻冬舎
〒一五一-〇〇五一 東京都渋谷区千駄ヶ谷四-九-七
電話 〇三-五四一一-六二一一(編集)
〇三-五四一一-六二二二(営業)
振替 〇〇一二〇-八-七六七六四三

ブックデザイン 鈴木成一デザイン室

印刷・製本所 中央精版印刷株式会社

検印廃止

Printed in Japan ISBN978-4-344-98188-1 C0295
む-2-1

幻冬舎ホームページアドレス http://www.gentosha.co.jp/
＊この本に関するご意見・ご感想をメールでお寄せいただく場合は、comment@gentosha.co.jpまで。

幻冬舎新書

吉田武
はやぶさ
不死身の探査機と宇宙研の物語

世界88万人の夢を乗せ、「はやぶさ」は太陽系誕生の鍵を握る小惑星イトカワへと旅立った。果たして史上初のミッションは達成されるのか？　宇宙研の男達の挑戦、感動の科学ノンフィクション。

小宮山宏
低炭素社会

CO_2 25%削減は、日本が世界のリーダーとなる強力な切り札だ。そのためにはどの産業を強化すべきか？　生活スタイルをどう変えるか？　環境技術の第一人者が明快に解き明かすこれから10年の戦略。

武田邦彦
偽善エコロジー
「環境生活」が地球を破壊する

「エコバッグ推進はかえって石油のムダ使い」「割り箸は使ったほうが森に優しい」「家電リサイクルに潜む国家ぐるみの偽装とは」……身近なエコの過ちと、「環境」を印籠にした金儲けのカラクリが明らかに！

武田邦彦
偽善エネルギー

近い将来、石油は必ず枯渇する。では何が次世代エネルギーになるのか？　太陽電池や風力、原子力等の現状と、政治や利権で巧妙に操作された嘘の情報を看破し、資源なき日本の行く末を探る。

幻冬舎新書

香山リカ
スピリチュアルにハマる人、ハマらない人

いま「魂」「守護霊」「前世」の話題が明るく普通に語られるのはなぜか？　死生観の混乱、内向き志向などとも通底する、スピリチュアル・ブームの深層にひそむ日本人のメンタリティの変化を読む。

三浦佑之
金印偽造事件
「漢委奴國王」のまぼろし

超一級の国宝である金印「漢委奴國王」は江戸時代の半ばに偽造された真っ赤な偽物である。亀井南冥を中心に、本居宣長、上田秋成など多くの歴史上の文化人の動向を検証し、スリリングに謎を解き明かす！

星川淳
日本はなぜ世界で一番クジラを殺すのか

国民一人当たり年間平均3切れしか鯨肉を口にしない現状で、国際社会の取り決めを無視してクジラを〝水産資源〟として捕り続ける日本のマナー違反を徹底的に検証し、環境と共存する生き方を探る。

小松正之
これから食えなくなる魚

マグロだけじゃない。サバも、イワシも、タラだって危ない！　国際捕鯨会議のタフネゴシエーターとして知られる著者が、あまりに世界から立ち遅れた日本漁業の惨状を指摘。魚食文化の危機を訴える。

幻冬舎新書

サイトウ・アキヒロ
ゲームニクスとは何か
日本発、世界基準のものづくり法則

なぜ、世界中で、多くの人がテレビゲームにハマるのか……。日本のゲームが人を夢中にさせる仕組みを、初めて体系化。意外にも、iPod、グーグル、ミクシィの成功理由もここにあった！

西野仁雄
イチローの脳を科学する
なぜ彼だけがあれほど打てるのか

現在、世界最高のプロ野球選手であるイチローのプレーを制御する脳は、一体どうなっているのか？　彼の少年時代から現在までの活躍を追いながら人間の脳の機能が自然にわかる、もっともやさしい脳科学の本。

長吉秀夫
大麻入門

戦後、GHQ主導による新憲法で初めて規制された大麻は、遥か太古から、衣食住はもちろん医療や建築、神事など、日本人の生活になくてはならないものだった。なぜ、大麻は禁止されたのか？

中村繁夫
レアメタル超入門
現代の山師が挑む魑魅魍魎の世界

タンタルやニオブなど埋蔵量が少ない、または取り出すのが難しい57のレアメタルをめぐって争奪戦が拡大中だ。レアメタル消費大国にして輸入大国の日本よ、今こそ動け。第一人者が緊急提言。

幻冬舎新書

夏野剛
グーグルに依存し、アマゾンを真似るバカ企業

ほとんどの日本企業は、グーグルに依存しアマゾンに憧れるばかりで、ネットの本当の価値をわかっていない。iモード成功の立役者が、日本のネットビジネスが儲からない本当の理由を明かす。

日垣隆〔編著〕
戦場取材では食えなかったけれど

時代遅れで無鉄砲で極端、だが、知恵と冒険心とユニークな発想に溢れた四人の戦争ジャーナリストに、戦場取材を志すも思い半ばで断念した体験を持つ著者が迫る。働く意味を問う異色のインタビュー。

鈴木伸元
新聞消滅大国アメリカ

アメリカで新聞が続々と消滅しているが、新聞がなくなると街は、国家は、世界はどうなるのか？　新聞が消えた街でネットから得られる地元情報はごくわずか。他人事ではない、日本人必読の書。

田沼靖一
ヒトはどうして死ぬのか
死の遺伝子の謎

いつから生物は死ぬようになったのか？　ヒトが誕生時から内包している「死の遺伝子」とは何なのか？　細胞の死と医薬品開発の最新科学を解説しながら新しい死生観を問いかける画期的な書。